P9-DBZ-301

LA ENTREGA

DENNIS LEHANE

LA ENTREGA

Traducción del inglés de
Magdalena Palmer

Título original: *The Drop*

Publicado por acuerdo con William Morrow, un sello editorial de HarperCollins Publishers

Publicaciones y Ediciones Salamandra, S.A.
Almogàvers, 56, 7º 2ª - 08018 Barcelona - Tel. 93 215 11 99
www.salamandra.info

Los personajes y situaciones que aparecen en esta obra son ficticios.
Cualquier parecido con personas reales, vivas o muertas, es pura coincidencia.

ISBN: 978-84-16237-01-2
Depósito legal: B-19.899-2014

1ª edición, septiembre de 2014
Printed in Spain

Impresión: Romanyà-Valls, Pl. Verdaguer, 1
Capellades, Barcelona

Para Tom y Sarah.
Ésa sí fue una historia de amor

Mientras, a salvo en la majada,
gritamos: «¡Oveja negra, oveja negra!»
Quizá nos oyen, no entienden nada,
y alguna se asombra y se alegra.

RICHARD BURTON,
«Oveja negra»

1

PROTECTORA DE ANIMALES

Bob encontró el perro dos días después de Navidad; el barrio sumido en el silencio por el frío, resacoso y flatulento. Salía de su turno habitual de cuatro a dos en el Cousin Marv's, en la zona de los Bloques, donde llevaba casi dos décadas trabajando detrás de la barra. Había sido una noche tranquila. Millie había ocupado su taburete de siempre en el rincón con un Tom Collins entre las manos, murmurando de vez en cuando y fingiendo ver la tele, cualquier cosa con tal de no volver al asilo de Edison Green. El primo Marv en persona había aparecido por allí y se había quedado un rato. Según él, quería cuadrar las cuentas, aunque había estado casi todo el tiempo en una mesa del fondo, leyendo el boletín del hipódromo y enviando mensajes a su hermana, Dottie.

Habrían cerrado temprano de no ser porque los amigos de Richie Whelan se habían apropiado del extremo opuesto al de Millie para pasarse la noche brindando por su amigo, desaparecido tiempo atrás y al que todos daban por muerto.

Diez años antes, Richie Whelan había salido del Cousin Marv's para pillar algo de maría o metacualona (sus colegas tenían alguna discusión al respecto) y nadie había vuelto a verlo. Dejó una novia, una cría que vivía con su madre en New Hampshire, y a la que no había llegado a conocer, y un coche en el taller, a la espera de un alerón nuevo. Por eso sabían todos que estaba muerto: Richie nunca se habría largado sin el coche; Richie adoraba aquel puto coche.

Casi nadie llamaba a Richie Whelan por su nombre; todos lo conocían como Días de Gloria porque no paraba de hablar del año en que jugó de *quarterback* en el instituto de East Buckingham. Gracias a él terminaron con siete victorias y seis derrotas, un resultado que no parecía digno de mención hasta que se comparaba con los de las temporadas previas, o con las posteriores.

Así que Días de Gloria había desaparecido tiempo atrás y todo el mundo lo daba por muerto, y aquella noche sus colegas —Sully, Donnie, Paul, Stevie, Sean y Jimmy— estaban en la barra viendo cómo los Heat arrastraban a los Celtics de un lado a otro de la cancha. Mientras Bob les servía, a cuenta de la casa, una quinta ronda que no habían pedido, alzaron todos las manos y se pusieron a protestar y a gritar por algún lance del partido.

—¡Sois demasiado viejos, joder! —le gritó Sean a la pantalla.

—Tan viejos no son —dijo Paul.

—¡Rondo acaba de hacerle un tapón a LeBron con su puto andador! —dijo Sean—. ¿Y cómo coño se llama ése? ¿Bogans? ¡A ése lo patrocina una marca de pañales para adultos!

Bob dejó las copas delante de Jimmy, el conductor del autobús escolar.

—¿Y tú qué opinas? —le preguntó Jimmy.

Bob notó que se ruborizaba, como solía pasarle cuando alguien lo miraba directamente, de tal modo que se veía obligado a sostenerle la mirada.

—No me interesa el baloncesto.

Sully, que trabajaba en un peaje de la autopista, dijo:

—Me parece que no te interesa nada, Bob. ¿Te gusta leer? ¿Ver concursos de la tele? ¿Acosar a los mendigos?

Se echaron todos a reír y Bob les dedicó una sonrisa contrita.

—A ésta invita la casa.

Se alejó, desconectando de la charla que dejaba a sus espaldas.

—He visto a tías que no estaban nada mal intentando darle conversación a ese tipo para ligar con él, y nada —dijo Paul.

—A lo mejor le van los tíos —dijo Sully.

—A ése no le va nada.

Sean, sin olvidar los modales, levantó el vaso hacia Bob y luego hacia el primo Marv.

—Gracias, chicos.

Marv, ahora detrás de la barra con el periódico abierto, sonrió, respondió levantando su vaso y volvió a sumirse en la lectura.

El resto de los chicos alzaron también sus vasos al aire.

—¿Alguien va a pronunciar unas palabras por el muchacho? —preguntó Sean.

Sully dijo:

—Por Richie Whelan, *Días de Gloria*, promoción del 92 del East Buckingham y un capullo genial. Descanse en paz.

Los demás lo aprobaron con un murmullo y bebieron. Marv se acercó a Bob mientras éste dejaba los vasos sucios en el fregadero, dobló el periódico y se quedó mirando a los tipos del otro extremo de la barra.

—¿Los has invitado a una ronda?

—Están brindando por un amigo muerto.

—¿Cuánto lleva muerto ese chico? ¿Diez años? —Marv se embutió el chaquetón de cuero que siempre llevaba, de esos que se habían puesto de moda cuando los aviones chocaron con las torres de Nueva York, pero ya estaban anticuados cuando se desplomaron—. En algún momento hay que mirar adelante y dejar de sacarle copas gratis al muerto.

Bob enjuagó un vaso antes de meterlo en el lavavajillas; no dijo nada.

El primo Marv se puso los guantes y la bufanda y dio un vistazo al otro extremo de la barra, donde estaba Millie.

—Y, hablando del tema, ésa no puede pasarse toda la noche ocupando un taburete y encima no pagar las copas.

Bob metió otro vaso en la bandeja superior.

—No bebe mucho.

Marv insistió.

—Sí, ya, pero ¿cuándo fue la última vez que le cobraste una copa? Y después de medianoche la dejas fumar aquí dentro... No creas que no lo sé. Esto no es un comedor de beneficencia, es un bar. Que liquide esta noche todo lo que debe. Y si no, que no vuelva a entrar hasta que haya pagado.

Bob lo miró y habló en voz baja:

—Es que debe unos cien pavos.

—Ciento cuarenta, para ser exactos.

Marv maniobró para salir de la barra y anduvo hasta la puerta. Señaló los adornos de las ventanas y de encima de la barra.

—Ah, y... ¿Bob? Quita esa mierda de adornos navideños. Ya estamos a día veintisiete.

—¿Y la Pequeña Navidad?[1]

Marv se quedó mirándolo un buen rato.

—Ya no sé ni qué decirte.

Cuando el partido de los Celtics emitió sus últimos gemidos, como la muerte inducida de un pariente lejano,

1. Así denominan los irlandeses al día de Reyes. *(N. del ed.)*

los colegas de Richie Whelan se largaron, dejando solos a Bob y la vieja Millie.

Millie tuvo un ataque de tos de fumadora, de flema y duración ilimitadas, mientras Bob le daba a la escoba. Tosía sin parar. Sólo se detuvo cuando ya parecía a punto de morir asfixiada.

Bob se acercó con la escoba.

—¿Te encuentras bien?

Millie le quitó importancia con un gesto:

—De fábula. Ponme una más.

Bob pasó al otro lado de la barra. Como no podía mirarla a los ojos, los fijó en el revestimiento del suelo, de goma negra.

—Tengo que cobrártela. Lo siento. Y... ¿Mill? —En aquel preciso instante a Bob le daba tanta vergüenza formar parte de la especie humana que hubiera querido pegarse un tiro en la puta cabeza—. Y tendrás que liquidar la cuenta atrasada.

—Oh.

Bob evitó mirarla a los ojos de inmediato.

—Sí.

Millie empezó a rebuscar en la bolsa de deporte que cargaba todas las noches.

—Claro, claro, tienes un negocio que llevar. Claro.

La bolsa de deporte era vieja y tenía el logo lateral desvaído. Millie hurgó en su interior y dejó en la barra un billete de dólar y sesenta y dos centavos. Buscó un poco más y sacó un antiguo marco sin ninguna foto dentro. Lo depositó en la barra.

—Es plata de ley de la joyería de Water Street —dijo Millie—. Ahí le compró Bob Kennedy un reloj a Ethel. Vale unos buenos dólares.

—¿Lo llevas sin foto? —preguntó Bob.

Millie desvió la vista al reloj de encima de la barra.

—Se borró.

—¿Salías tú?

—Y los niños.

Millie perdió la mirada de nuevo en la bolsa, rebuscó un poco más. Bob le puso un cenicero delante. Ella levantó la vista hacia él. Bob quiso darle unas palmaditas en la mano, hacerle un gesto de consuelo, de no estás sola del todo, pero era mejor dejar esos gestos para otra gente, como la que aparecía en las películas, quizá. Siempre que Bob intentaba hacer algo personal, le salía raro.

Así que dio media vuelta y le preparó otra copa.

Se la sirvió, cogió el dólar de la barra y fue a la caja. Millie dijo:

—No, toma el...

—Con esto bastará —respondió él, de espaldas.

Bob se compraba la ropa en Target —camisetas, camisas de franela y vaqueros nuevos cada dos años— y conducía el mismo Chevy Impala desde que su padre le había dado las llaves en 1983, y el cuentakilómetros todavía no había alcanzado los cien mil, porque Bob nunca iba a ningún lado; la casa estaba pagada y los impuestos por la propiedad eran de risa, porque, mierda, ¿quién quería vivir ahí? De modo que si Bob tenía algo que pocos imaginaban era precisamente dinero disponible. Dejó el dólar en el cajón. Se metió una mano en el bolsillo, sacó un fajo de billetes, separó siete de veinte dólares y los añadió también al cajón.

Cuando se dio la vuelta, Millie ya se había guardado la calderilla y el marco en la bolsa de deporte.

Millie bebió, Bob acabó de limpiar y luego volvió detrás de la barra mientras ella removía los cubitos de su vaso.

—¿Has oído hablar de la Pequeña Navidad? —preguntó Bob.

—Pues claro. El 6 de enero.

—Ya nadie se acuerda.

—En mis tiempos era importante.

—En los de mi viejo, también.

La voz de Millie adquirió un tono entre compasivo y ausente:

—Pero no en los tuyos.

—En los míos, no —concedió Bob, y sintió que un pájaro aleteaba atrapado en su pecho, impotente, buscando una salida.

Millie dio una calada inmensa a su cigarrillo y soltó el humo con sumo placer. Tosió un poco más y lo apagó. Luego se puso un abrigo harapiento y se tambaleó hacia la puerta. Bob la abrió. Nevaba un poco.

—Buenas noches, Bob.

—Ten cuidado ahí fuera. Ojo con el hielo —dijo él.

Aquel año, el 28 era día de recogida de trastos viejos en aquella zona de los Bloques y los vecinos ya habían dejado sus cubos junto al bordillo para cuando pasara el camión por la mañana. Bob recorría las aceras de camino a casa fijándose, entre divertido y desesperado, en lo que tiraba la gente. Tantos juguetes destrozados en tan poco tiempo. Tantos objetos desechados, condenados al reemplazo pese a que todavía funcionaban. Tostadoras, televisores, microondas, equipos de música, ropa, coches, aviones y camionetas de ruedas enormes teledirigidos que sólo necesitaban un poco de pegamento aquí, una tira de cinta allá. Y no es que sus vecinos fueran ricos. Bob era incapaz de calcular cuántas veces lo había mantenido despierto en plena noche alguna riña doméstica por dinero, había perdido la cuenta de todas las caras que subían al metro, demacradas por la angustia, con ofertas de empleo estrujadas en los puños sudorosos. Hacía cola en Cottage Market mientras ellos contaban sus vales de comida y en el banco mientras cobraban los cheques del subsidio. Algunos tenían dos trabajos, otros sólo podían permitirse una vivienda gracias a los subsidios y otros cavilaban las penas de su vida en el Cousin Marv's, la mirada perdida, los dedos aferrados a sus jarras de cerveza.

Sin embargo, compraban. Construían auténticas montañas de deuda y, justo cuando parecía que éstas iban a desmoronarse por su propio peso, daban la paga y señal de unos muebles nuevos para el salón y la amontonaban encima. Y al parecer también necesitaban tirar en igual o mayor medida que adquirir. Aquellos montones de basura revelaban una adicción casi violenta y a Bob se le antojaban como cagadas de una comida que no debería haberse ingerido, para empezar.

Excluido hasta de aquel ritual por su cicatriz de soledad, su incapacidad para atraer a alguien que mostrara interés en él después de cinco minutos de charla trivial, durante esos paseos a veces Bob pecaba de orgullo, el orgullo de saber que él no consumía temerariamente, que no sentía la necesidad de comprar lo que le exigían la tele, la radio, los diarios, las revistas y las vallas publicitarias. El consumo no iba a acercarlo a sus deseos, porque sólo deseaba no estar solo, aunque sabía que nada iba a rescatarlo de eso.

Vivía solo en la casa donde se había criado, y cuando parecía que iban a tragárselo los olores, los recuerdos y los oscuros sofás, sus intentos de huir —reuniones sociales de la iglesia, picnics organizados y una fiesta para solteros espantosa, montada por una agencia de contactos— sólo habían servido para abrir más una herida que luego tardaba semanas en curarse, mientras Bob se maldecía por haber abrigado esperanzas. Estúpida esperanza, susurraba a veces en la soledad de su sala de estar. Estúpida, estúpida esperanza.

Sin embargo, la esperanza era parte de él. Discreta, casi siempre desesperanzada. Esperanza desesperada, pensaba a veces, y esbozaba una sonrisa mientras la gente del metro se preguntaba de qué demonios se reía Bob. Bob, el camarero raro y solitario. Un buen tipo con quien se podía contar para que quitara la nieve del camino o invitase a una ronda, un tío legal, pero tan tímido que la mitad de las veces ni siquiera oías lo que decía, así que desistías, asentías educadamente con la cabeza y te volvías para hablar con otro.

Bob sabía lo que decían y no podía reprochárselo. Era capaz de mirarse desde fuera y ver lo mismo que ellos: un don nadie fracasado, incómodo en situaciones sociales y propenso a tics nerviosos como parpadear sin motivo y ladear la cabeza en ángulos extraños cuando pensaba en sus cosas, uno de esos tíos que, por comparación, hacen parecer más listos a los demás fracasados.

—Cuánto amor hay en tu corazón —le había dicho una vez el padre Regan, cuando Bob rompió a llorar durante la confesión. Se lo había llevado a la sacristía, donde tomaron unos vasos del whisky de malta que el cura guardaba en un estante, encima de las sotanas—. Es cierto, Bob. Salta a la vista. Y no puedo más que pensar que una buena mujer, una mujer con fe en Dios, verá ese amor y correrá hacia él.

¿Cómo hablarle a un hombre de Dios del mundo de los hombres? Bob sabía que las intenciones del cura eran buenas y que tenía razón, en teoría. Pero la práctica le había demostrado que las mujeres veían el amor de su corazón, sí, pero preferían un corazón con un envoltorio más atractivo. Y no eran sólo las mujeres, era él. Bob no se fiaba de sí mismo cuando había que manejar algo frágil. Llevaba años sin fiarse.

Aquella noche se detuvo en la acera sintiendo el cielo de tinta en lo alto y el frío en los dedos, y cerró los ojos a la oscuridad.

Estaba acostumbrado. Estaba acostumbrado.

No pasaba nada.

Cabía la posibilidad de llevarse bien con aquella sensación, siempre que uno no intentara ofrecerle resistencia.

Aún tenía los ojos cerrados cuando lo oyó: un lamento fatigado, acompañado de unos arañazos distantes y un repiqueteo metálico más agudo. Abrió los ojos. Un gran cubo de metal cerrado con una tapa pesada. Unos cinco metros, en la acera, a la derecha. El cubo temblaba un poco en el resplandor amarillo de la farola; la parte inferior arañaba el suelo. Bob se acercó y oyó de nuevo el lamento, el sonido de una criatura que estaba apenas a un suspiro de decidir que dar el siguiente le costaría demasiado, y abrió la tapa.

Tuvo que sacar algunas cosas para alcanzarlo: un microondas sin puerta y cinco gruesos listines de Páginas Amarillas, el más antiguo era del año 2005, amontonados sobre sábanas sucias y almohadas viejas. El perro —muy pequeño, o un cachorro— estaba en el fondo del cubo y escondió la cabeza en la barriga cuando le dio la luz. Soltó un débil gemido y tensó aún más el cuerpo, los ojos prietos como rendijas. Una cosita escuálida. Se le veían las costillas. Bob distinguió una costra grande de sangre seca junto a la oreja. No llevaba collar. Era marrón, con el hocico blanco y unas patas que parecían demasiado grandes para aquel cuerpo.

El animal soltó un gemido más agudo cuando Bob metió el brazo, le hundió los dedos en el pescuezo y lo sacó de sus propios excrementos. Aunque Bob no entendía de perros, estaba clarísimo que aquél era un bóxer. Y, desde luego, se trataba de un cachorro: abrió unos ojos grandes y marrones y los clavó en los suyos mientras Bob lo sostenía en alto.

En algún lugar, estaba seguro, dos personas hacían el amor. Un hombre y una mujer. Entrelazados. Detrás de alguna de aquellas persianas, anaranjadas por la luz, que daban a la calle. Bob los intuía, desnudos y dichosos.

Y él estaba ahí fuera, pasando frío, con un perro medio muerto que le sostenía la mirada. La acera helada resplandecía como mármol nuevo y el viento era oscuro, gris como la nieve sucia.

—¿Qué es eso?

Bob se volvió y recorrió la acera con la mirada.

—Estoy aquí arriba. Y tú estás hurgando en mi basura.

La vio en el porche de la casa más cercana, un bloque de tres pisos. Había encendido la luz, estaba descalza y temblaba. La chica metió una mano en el bolsillo de la sudadera y sacó un paquete de cigarrillos. Miró a Bob mientras encendía uno.

—Es un perro —dijo Bob, levantándolo.

—¿Un qué?

—Un perro. Un cachorro. Un bóxer, creo.

Ella tosió un poco de humo.

—¿A quién se le ocurre tirar un perro a la basura?

—Ya, ¿has visto? —respondió Bob—. Está sangrando.

Dio un paso hacia los escalones y ella retrocedió.

—¿Tenemos algún conocido en común?

Era una chica de ciudad, no iba a bajar la guardia con un desconocido.

—No lo sé —dijo Bob—. ¿Francie Hedges?

Ella negó con la cabeza.

—¿Conoces a los Sullivan?

Eso no servía de mucho. En aquel barrio, no. Sacudías un árbol y caía un Sullivan, casi siempre seguido de varias latas de cerveza.

—Conozco a un montón —respondió él.

Así no iban a ningún lado. El perro lo miraba y temblaba aún más que la chica.

—Oye, ¿vives en esta parroquia?

—En la de al lado. —Bob inclinó la cabeza a la izquierda—. La de Saint Dominic.

—¿Vas a misa?

—Casi todos los domingos.
—Entonces conoces al padre Pete.
—Pete Regan. Claro.
Ella sacó un móvil.
—¿Cómo te llamas?
—Bob. Bob Saginowski.

La chica levantó el móvil y le sacó una foto. A Bob lo pilló por sorpresa; de lo contrario, al menos se habría pasado una mano por el pelo.

Esperó mientras ella desaparecía en la penumbra, con el teléfono en una oreja y tapándose la otra con un dedo. Miró al cachorro y éste le devolvió la mirada, como preguntando ¿cómo he llegado aquí? Bob le tocó el hocico con el índice. Los inmensos ojos del cachorro parpadearon. Por un instante, Bob se olvidó de sus pecados.

—Acabo de enviar esa foto al padre Pete y a seis personas más —advirtió ella, amparada en la oscuridad.

Bob se quedó mirando hacia allí sin decir nada.

—Nadia —se presentó la chica, al tiempo que volvía a la luz—. Súbelo aquí, Bob.

Lo lavaron en el fregadero, lo secaron y lo llevaron a la mesa de la cocina.

Nadia era pequeña. Una cicatriz gruesa como una soga le recorría la base del cuello. Era de color rojo oscuro, la sonrisa de un payaso borracho. Tenía por cara una luna diminuta picada de viruela y unos ojos pequeños, como colgantes en forma de corazón. Los hombros, más que terminar, se disolvían en los brazos. Codos como latas de cerveza aplastadas. Una melena corta, rubia y rizada, caía a ambos lados de la cara ovalada.

—No es un bóxer. —Miró a Bob un instante antes de dejar de nuevo al cachorro en la mesa de su cocina—. Es un american staffordshire terrier.

Por el tono de voz de Nadia, Bob dedujo que le estaba insinuando algo, pero, como no sabía qué era, se quedó callado.

Nadia volvió a mirarlo cuando el silencio ya estaba durando demasiado.

—Un pit bull.

—¿Esto es un pit bull?

Ella asintió y siguió limpiando la herida de la cabeza con una gasa. Alguien le había propinado una paliza, le dijo. Seguramente lo había dejado inconsciente y, dándolo por muerto, se había deshecho de él.

—¿Por qué? —preguntó Bob.

Nadia lo miró con aquellos ojos cada vez más grandes y redondos.

—Porque sí. —Se encogió de hombros y siguió examinando al perro—. Trabajé en el refugio de la protectora de animales, ¿conoces ese sitio, en Shawmut? Como ayudante de veterinario, hasta que decidí que no era lo mío. Esta raza es tan difícil de...

—¿De qué?

—De entregar en adopción. Cuesta mucho encontrarles casa.

—No sé nada de perros. Nunca he tenido perro, vivo solo. Yo simplemente pasaba delante de la basura. —Bob sintió una acuciante y desesperada necesidad de explicarse, de explicar su vida—. Yo no soy...

Fuera sonaba el viento, negro y racheado. La lluvia o el granizo escupían contra las ventanas. Nadia levantó la pata trasera izquierda del cachorro; las otras tres eran marrones, pero aquélla era blanca con manchas de color melocotón. La soltó como si tuviera algo contagioso. Volvió a la herida de la cabeza y examinó con más detenimiento la oreja derecha; faltaba un trozo en la punta, algo en lo que Bob no había reparado hasta entonces.

—Bueno, vivirá —dijo ella—. Vas a necesitar una jaula, comida y un montón de cosas.

—No —dijo Bob—. No lo entiendes.

Nadia ladeó la cabeza y con una mirada le hizo saber que lo entendía perfectamente.

—No puedo. Sólo lo he encontrado. Iba a devolverlo.

—¿A quien lo golpeó y lo dio por muerto?

—No, no, a las autoridades.

—O sea, a la protectora de animales. Le dan siete días al dueño para que lo reclame y luego lo...

—¿El tipo de la paliza? ¿Le dan una segunda oportunidad?

Nadia frunció el ceño y asintió.

—Si el dueño no se lo lleva —continuó mientras levantaba la oreja del cachorro y miraba dentro—, seguramente pondrán a este pequeñajo en adopción. Pero encontrarle casa a un pit bull es difícil. Casi siempre... —Miró a Bob—. Casi siempre acaban sacrificándolos.

Bob percibió la oleada de tristeza emitida por Nadia y se avergonzó de inmediato. No sabía cómo, pero había causado dolor, había añadido un poco más de dolor al mundo. Había decepcionado a esa chica.

—Yo... —empezó—. Es que...

Ella alzó la vista.

—¿Qué?

Bob miró al cachorro. Se le cerraban los ojos por el largo día en el cubo de basura y por culpa de aquella herida que le había hecho a saber quién. Pero había dejado de temblar.

—Podrías quedártelo tú. Antes trabajabas en ese sitio, como has dicho. Tú...

Nadia negó con la cabeza.

—No puedo cuidar ni de mí misma —dijo, negando una vez más—. Y trabajo demasiado. Sin horario fijo, encima. Impredecible.

—¿Puedes darme hasta el domingo por la mañana?

Bob no estaba seguro de cómo habían salido esas palabras de su boca, porque no recordaba haberlas pronunciado, ni siquiera haberlas pensado.

La chica lo observó con atención.

—¿No me estarás vacilando? Porque, lo digo en serio, si el domingo al mediodía no has pasado a recogerlo, volverá a salir por esa puerta.

—El domingo, entonces. —Bob pronunció las palabras con una convicción que sentía de verdad—. El domingo, seguro.

—¿Sí?

—Sí. —Bob se sintió enloquecer. Se sintió ligero como una hostia consagrada—. Sí.

2

INFINITO

La misa diaria de siete en la iglesia de Saint Dominic no congregaba multitudes desde antes incluso de nacer Bob, pero ahora la asistencia, siempre escasa, iba menguando cada mes.

Al día siguiente del hallazgo del perro, Bob alcanzó a oír desde la décima fila el roce de la sotana del padre Regan con el suelo de mármol del altar. Los únicos feligreses presentes esa mañana —una mañana cruda, desde luego, con hielo negro en todas las calles y un viento casi visible de tan frío— eran Bob; la viuda Malone; Theresa Coe, la antigua directora del colegio de Saint Dominic cuando había un colegio de Saint Dominic; el viejo Williams y aquel poli puertorriqueño que, Bob estaba bastante seguro, se llamaba Torres.

Como Torres no tenía pinta de poli —su mirada era amable, casi traviesa a veces—, descubrir la funda de la pistola cuando volvía a su banco después de comulgar podía resultar sorprendente. Bob nunca comulgaba; ese detalle no se le había escapado al padre Regan, que varias veces había intentado convencerlo de que el perjuicio provocado por prescindir de la Eucaristía —si, en efecto, estaba en pecado mortal— era mucho peor, en opinión del buen cura, que el causado por tomar el sacramento. Pero Bob se había criado como católico de la vieja escuela, de los tiempos en que se hablaba mucho del limbo y aún más del purgatorio y las monjas imponían su autoridad atizando con una regla. Aunque en los asuntos teológicos se situaba a la izquierda de casi todas las enseñanzas de la Iglesia, Bob seguía siendo un tradicionalista.

Saint Dominic era una iglesia muy antigua, de finales del siglo XIX. Un edificio precioso: caoba oscura, mármol color hueso y vidrieras altísimas dedicadas a varios santos de ojos tristes. Tenía el aspecto que cabía esperar de una iglesia. De las nuevas... Bob no sabía ni qué pensar. Los bancos eran demasiado claros, había demasiados tragaluces. Lo hacían sentir como si estuviera allí para regocijarse por su vida en lugar de para reflexionar sobre sus pecados.

En cambio, en una iglesia vieja, una iglesia de caoba, mármol y oscuros paneles de madera, una iglesia de silenciosa majestad e historia implacable, él podía reflexionar adecuadamente tanto sobre sus esperanzas como sobre sus errores.

Mientras los otros feligreses se ponían en fila para comulgar, Bob permaneció arrodillado en el banco. No había nadie a su alrededor. Bob era una isla.

Le llegó el turno al poli Torres, un tipo atractivo de cuarenta y pocos que empezaba a ponerse fondón. Tomó la hostia en la lengua, no en la palma de la mano. Otro tradicionalista.

Se dio la vuelta, al tiempo que se santiguaba, y repasó a Bob con la mirada antes de volver a su banco.

—Poneos en pie.

Bob se santiguó y se levantó. Recogió el reclinatorio abatible con un movimiento del pie.

El padre Regan alzó una mano por encima de los congregados y cerró los ojos.

—Que el Señor os bendiga y os guarde todos los días de vuestra vida. Que su rostro os ilumine y se apiade de vosotros. Que vuelva hacia vosotros su rostro y os dé paz. Esta misa ha terminado. Podéis ir en paz, para amar y servir al Señor. Amén.

Bob salió del banco y echó a andar por el pasillo. Cuando llegó a la pila de agua bendita, se mojó los dedos y se santiguó. Torres hizo lo mismo en la siguiente. Lo saludó con una inclinación de cabeza, un gesto entre dos desconocidos que se reconocen. Bob le devolvió el saludo y salieron por puertas distintas al frío exterior.

Bob fue a trabajar al Cousin Marv's al mediodía porque le gustaba la tranquilidad del bar a esas horas. Así tendría tiempo para pensar en el asunto del cachorro.

Mucha gente llamaba «primo» a Marv por pura costumbre, ya desde la escuela de primaria, aunque nadie recordaba por qué; en cambio, Bob sí era primo suyo. Por parte de madre.

El primo Marv había liderado una banda a finales de los años ochenta y principios de los noventa. Se dedicaban sobre todo a los préstamos y a la consiguiente obligación de devolverlos, aunque Marv nunca le hizo ascos a ninguna propuesta rentable, porque creía, desde lo más profundo de su alma, que quienes no diversificaban sus inversiones eran los primeros en caer cuando cambiaban las tornas. Como los dinosaurios, solía decirle a Bob, cuando llegaron los cavernícolas e inventaron las flechas. Imagínate a los cavernícolas disparando, le decía, y a todos los tiranosaurios pringados en los charcos de petróleo. Una tragedia que podía haberse evitado fácilmente.

La banda de Marv no era —ni de lejos— la más dura, ni la más inteligente, ni la más eficaz de cuantas operaban en el barrio, pero durante un tiempo fueron tirando. Aunque otras bandas les pisaban los talones, ellos, salvo por una flagrante excepción, nunca habían sido partidarios de la violencia. Muy pronto tuvieron que decidir entre ceder ante bandas mucho más brutales que la suya o pelear. Optaron por lo primero.

Ahora Marv se dedicaba a traficar con material robado. Era uno de los mejores de la ciudad, pero en su mundo ese oficio era como ser empleado de correos en el mundo real; si a los treinta aún te dedicabas a eso, ya no ibas a hacer otra cosa en la vida. Marv también aceptaba algunas apuestas, pero sólo para el padre de Chovka y el resto de los chechenos, que eran los verdaderos dueños del bar. Aunque no era ningún secreto, no todo el mundo sabía que, desde hacía ya unos cuantos años, el primo Marv no era el verdadero dueño del bar que llevaba su nombre.

Para Bob era un alivio; le gustaba ser camarero y no lo había pasado nada bien aquella única ocasión en que se habían visto obligados a ponerse violentos. Marv, en cambio, todavía esperaba que un tren forrado de diamantes llegase por unas vías de dieciocho quilates y lo sacara de allí. Casi siempre fingía que era feliz. Sin embargo, Bob sabía que a Marv lo atormentaban las mismas cosas que a él: las mierdas que hacía para salir adelante. Cuando las ambiciones quedan en nada, esas mierdas se ríen de uno; los triunfadores pueden esconder su pasado, mientras que los fracasados se pasan el resto de la vida intentando no ahogarse en el suyo.

Esa tarde Marv estaba algo alicaído y para animarlo Bob le contó su aventura con el perro. Marv no parecía muy interesado, pero Bob insistió mientras esparcía sal por el hielo del callejón y Marv fumaba junto a la puerta trasera.

—Asegúrate de que la echas por todos lados —dijo Marv—. Sólo me falta que uno de esos tipos de Cabo Verde resbale de camino a la basura.

—¿Qué tipos de Cabo Verde?
—Los de la peluquería.
—¿El sitio de las uñas? Son vietnamitas.
—Bueno, pues no quiero que resbalen.
—¿Conoces a una tal Nadia Dunn? —preguntó Bob.
Marv negó con la cabeza.
—Es la que me guarda el perro.
—Otra vez con el perro.
—Adiestrar a un perro, educarlo, es una gran responsabilidad, ¿sabes?
El primo Marv tiró la colilla al callejón.
—No es como si un pariente tarado al que llevas siglos sin ver se planta en tu puerta en silla de ruedas y con una bolsa de colostomía y te pide que te ocupes de él. Es un perro.
—Ya, pero...
Bob no encontró palabras para expresar algo que sentía desde el momento en que, tras sacar al cachorro de la basura, lo había mirado a los ojos: que por primera vez desde que le alcanzaba la memoria tenía la sensación de protagonizar la película de su vida, en lugar de mirarla desde la última fila de un cine.
El primo Marv le dio unas palmaditas en el hombro; se le acercó, con su peste a tabaco, y lo repitió:
—Es... un... perro.
Luego volvió al bar.

A eso de las tres, Anwar, uno de los hombres de Chovka, entró por la puerta trasera para llevarse las apuestas de la noche anterior. Los hombres de Chovka iban atrasados en la recaudación de toda la ciudad, porque a la poli de Boston le había dado por hacer una pequeña redada de acoso en el club social checheno, y la mitad de sus recaudadores y correos habían pasado la noche en el calabozo. Anwar cogió la bolsa que le daba Marv y se sirvió una Stella. Se la bebió de un trago lento y prolongado mientras fulminaba a Marv y Bob con la mirada. Después de apurarla eructó, dejó la botella en la barra y se marchó sin decir palabra, con la bolsa de dinero bajo el brazo.

—Ningún respeto. —Marv tiró la botella y limpió el cerco que había dejado en la barra—. ¿Te das cuenta?

Bob no respondió. Claro que se daba cuenta, pero ¿qué iba a hacer?

—Pues ese cachorro... —dijo para levantar el ánimo— tiene las patas tan grandes como la cabeza. Tres son marrones, pero tiene una blanca con manchitas de color melocotón y...

—¿Ese bicho sabe guisar? —dijo Marv—. ¿Limpia la casa? Es un puto perro, joder.

—Ya, pero... —Bob bajó las manos. No sabía cómo explicarlo—. ¿Sabes esa sensación que tienes a veces en un día de los buenos? ¿Como... como cuando los Patriots arrasan y te llevas una buena pasta en las apuestas, o cuando te hacen el bistec en su punto en el Blarney, o... simplemente cuando te sientes bien? O sea... —Bob se descubrió gesticulando de nuevo— ¿bien?

Marv asintió con una inclinación de cabeza y le dedicó una sonrisa forzada antes de volver a su boletín del hipódromo.

Bob alternó entre retirar los adornos de Navidad y trabajar en la barra, pero el bar empezó a llenarse a partir de las cinco y muy pronto pasó a servir copas todo el tiempo. A esas alturas tenía que haber arrimado el hombro ya el otro camarero, Rardy, pero llegaba tarde.

Bob hizo dos viajes a la zona de los dardos para servir una ronda a los tipos que instalaban fibra óptica en todos los hoteles nuevos del puerto. Al volver a la barra se encontró a Marv apoyado en una nevera de cervezas leyendo el *Herald*, pero los clientes lo culpaban a él del retraso y un tipo llegó incluso a preguntarle si tenían que esperar a que los putos caballos de tiro que salían en los anuncios de Budweiser les llevaran sus cervezas.

Bob apartó a Marv con el brazo, sacó las cervezas de la nevera y mencionó que Rardy llegaba tarde. Otra vez. Bob, que no había sido impuntual en su vida, sospechaba que había algo hostil en el corazón de los que nunca llegaban a la hora.

—No, ya está aquí —dijo Marv, señalando con un movimiento de cabeza.

Bob alcanzó a verlo; Rardy tenía treinta años, pero seguían pidiéndole el carnet en la puerta de las discotecas. Charlaba con los clientes mientras se abría paso, vestido con su sudadera desvaída y unos vaqueros raídos, un sombrero de ala corta en la coronilla, siempre con pinta de estar a punto de subir a un escenario para improvisar un recital de poesía o un monólogo cómico. Sin embargo, Bob, que lo conocía desde hacía cinco años, sabía que Rardy no tenía ni pizca de sensibilidad y ni zorra idea de contar chistes.

—Hola, llega la caballería —dijo el chico mientras se instalaba detrás de la barra y se tomaba su tiempo para quitarse la chaqueta. Le dio una palmadita en la espalda a Bob—. Estás de suerte, ¿eh?

En el frío exterior, dos hermanos pasaron en coche ante el bar por tercera vez ese día. Doblaron por el callejón para volver luego a la avenida principal, por donde se alejaron un poco del local para buscar un aparcamiento y meterse otro par de rayas.

Se llamaban Ed y Brian Fitzgerald. Ed era el mayor, pesaba más de la cuenta y todos lo llamaban Fitz. Brian era delgado como una espátula y todos lo llamaban Bri, salvo cuando hablaban de los dos; en ese caso algunos los apodaban 10, porque era lo que parecían cuando estaban juntos.

Fitz tenía los pasamontañas en el asiento de atrás y las armas en el maletero. Guardaba la coca en el compartimento que había entre los asientos. Bri necesitaba la coca. Sin ella era incapaz de acercarse siquiera a una puta arma.

Encontraron un sitio solitario debajo de la autopista. Desde allí veían Penitentiary Park, cubierto por costras de hielo y jirones de nieve, y hasta podían distinguir el lugar donde en otro tiempo había estado el autocine. Unos años antes de que lo desmantelaran, habían encontrado a una chica muerta de una paliza, seguramente el asesinato más famoso del barrio. Fitz cortó las rayas sobre un espejo que había arrancado del retrovisor de un coche abandonado. Esnifó la primera y le pasó el espejo y el rulo de cinco dólares a su hermano.

Bri esnifó una raya y luego se metió la siguiente sin preguntar antes siquiera.

—No lo sé —dijo Bri. Lo había dicho tantas veces esa semana que Fitz lo estrangularía si volvía a repetirlo—. No lo sé.

Fitz cogió el rulo de cinco dólares y el espejo.

—Todo irá bien.

—No —dijo Bri. Toqueteó su reloj, que llevaba un año parado. Un regalo de despedida de su padre el día en que decidió que ya no quería seguir siéndolo—. Es una idea malísima, joder. Malísima. Si vamos a darles el palo, tendríamos que darlo a lo grande.

—Mi contacto —explicó Fitz por enésima vez— quiere ver cómo nos apañamos. Dice que lo hagamos por pasos. Para ver cómo reaccionan los dueños la primera vez.

Bri abrió mucho los ojos.

—Pues pueden reaccionar de pena, gilipollas. Es un puto bar de gángsters. Un bar de entregas.

Fitz le dedicó una sonrisa forzada.

—Ésa es la gracia. Si no fuese un bar de entregas, no valdría la pena arriesgarse.

—No. ¿Me oyes? —Bri dio una patada a la parte inferior de la guantera. Un crío en plena pataleta. Volvió a toquetear el reloj y desplazó la correa hasta que la esfera le quedó en la cara interior de la muñeca—. ¡No, no, no!

—¿No? —dijo Fitz—. Hermanito, tienes a Ashley, a los niños y un puto vicio. Estás apurando el mismo depósito de gasolina desde el día de Acción de Gracias y tu reloj no da la jodida hora. —Se inclinó a un lado hasta que su frente tocó la de su hermano pequeño. Le puso la mano en la nuca—. Vuelve a decir que no.

Bri no lo dijo, claro está. Lo que hizo fue meterse otra raya.

Era una noche muy buena, con montones de Budweisers y muchas apuestas. Bob y Rardy se encargaban de las primeras. Marv se ocupaba de los apostadores, siempre inquietos y algo desconcertados, y metía las apuestas en la ranura del mueble que había bajo la caja registradora. En cierto momento desapareció en la trastienda para cuadrar las cuentas, y cuando reapareció, la clientela se había reducido considerablemente.

Bob estaba quitando la espuma de dos pintas de Guinness cuando entraron un par de chechenos con el pelo cortado al rape, barba de dos días y chaqueta de chándal de seda bajo los abrigos de lana. Marv pasó andando a su lado y les entregó el sobre marrón sin detenerse, y cuando Bob terminó de quitar la espuma los chechenos ya se habían marchado. Entrar y salir. Como si nunca hubiesen estado allí.

Una hora después el local estaba vacío. Bob fregaba detrás de la barra y Marv cuadraba la caja. Rardy sacó la basura al callejón por la puerta de la trastienda. Bob escurrió el mocho en el cubo. Cuando alzó la vista, había un tipo en la puerta trasera apuntándolo con una escopeta.

Lo que siempre recordaría de aquello, durante el resto de su vida, era el silencio. Cómo los demás dormían —dentro, fuera— y todo estaba quieto. Y, sin embargo, había un hombre en el umbral con un pasamontañas en la cabeza, apuntando a Bob y a Marv con su escopeta.

Bob soltó la fregona.

Marv, de pie junto a una de las neveras, alzó la vista y entrecerró los ojos. Justo debajo de la mano tenía una Glock de nueve milímetros. Bob rogó a Dios que Marv no fuera tan imbécil como para intentar cogerla. En cuanto Marv levantase el arma por encima de la barra, aquella escopeta los partiría en dos.

Pero Marv no era tonto. Levantó las manos muy lentamente antes incluso de que el tipo se lo dijera y Bob hizo lo mismo.

El hombre entró en el bar y a Bob se le encogió el estómago al ver que detrás llegaba otro, apuntándolos con un revólver, la mano algo temblorosa. Mientras sólo había un tipo armado, la situación le había parecido manejable, pero con dos el bar estaba tenso como una ampolla a punto de reventar. Sólo faltaba el alfiler. Bob pensó que podía ser el fin. Al cabo de cinco minutos —o de tan sólo treinta segundos— podría descubrir si había otra vida después de ésta o únicamente el dolor del acero penetrando en su cuerpo y destrozando los órganos. Y luego nada.

El tipo del tembleque era flaco, el de la escopeta era grande —en realidad, gordo— y los dos jadeaban por los pasamontañas. El flaco dejó una bolsa de basura en la barra, pero fue el obeso quien habló:

—No pienses, llénala —le ordenó a Marv.

Marv asintió como si le hubiera pedido una bebida y empezó a meter en la bolsa el dinero que acababa de atar con una goma.

—No quiero complicar las cosas —dijo Marv.

—Pues no las compliques, joder —respondió el hombretón.

Marv dejó de meter dinero en la bolsa y lo miró.

—Pero... ¿sabéis de quién es este bar? ¿De quién es, en realidad, la pasta que estáis robando?

El flaco se acercó; la pistola seguía temblando.

—Llena la bolsa, imbécil de mierda.

El flaco llevaba un reloj en la muñeca derecha con la esfera por dentro. Bob vio que marcaba las seis y cuarto, aunque eran las dos y media de la madrugada.

—Tranquilo —le dijo Marv al de la pistola temblorosa—. Tranquilo.

Y metió el resto del dinero en la bolsa.

El flaco la agarró y retrocedió, de modo que los dos quedaron con sus armas a un lado de la barra y Bob y Marv al otro. El corazón de Bob se revolvía como un saco de hurones arrojado por la borda de un barco.

En ese momento terrible sintió que todo el tiempo transcurrido desde los albores del mundo abría la boca para tragárselo. Vio expandirse el cielo nocturno en el espacio y el espacio en el infinito, con estrellas desparramadas por el negro cielo como diamantes sobre fieltro; todo era frío e interminable, y allí él era menos que una mota. Era el recuerdo de una mota, el recuerdo de algo que había pasado inadvertido. El recuerdo de algo que no valía la pena recordar.

Sólo quiero criar al perro, pensó sin saber por qué. Sólo quiero enseñarle trucos y seguir con esta misma vida.

El flaco se guardó el revólver en el bolsillo y salió.

Ya sólo quedaban el tipo grande y aquella escopeta.

—Hablas demasiado, joder —le dijo a Marv.

Y luego desapareció.

La puerta del callejón chirrió al abrirse y volvió a chirriar al cerrarse. Bob se pasó como mínimo medio minuto sin respirar, y luego él y Marv soltaron aire al mismo tiempo.

Bob oyó un sonido débil, como un gemido, pero no provenía de Marv.

—Rardy —dijo.

—Mierda.

Marv salió de detrás de la barra con Bob y los dos cruzaron la diminuta cocina hasta la trastienda, donde almacenaban los barriles viejos. Allí estaba Rardy, tumbado boca abajo, a la izquierda de la puerta, con la cara ensangrentada.

Bob no sabía qué hacer, pero Marv se agachó a su lado y empezó a tironearle del hombro como si pretendiera arrancar el motor de un fueraborda. Rardy gimió varias veces y luego boqueó. Fue un sonido espantoso, asfixiado y entrecortado, como si inhalase cristales rotos. Arqueó la espalda, se volvió de lado y se sentó. Tenía la piel de la cara tirante en torno al cráneo, los labios tensos sobre los dientes como una especie de máscara funeraria.

—Oh —dijo—. Mi coño. Mi coño. Dios.

Abrió los ojos por primera vez y Bob vio que intentaba enfocar la mirada. Le costó un minuto.

—Pero ¿qué coño? —dijo después, lo que Bob consideró un avance respecto a «mi coño», por si a alguien le preocupaba el tema de las lesiones cerebrales.

—¿Estás bien? —le preguntó Bob.

—Eso, ¿estás bien? —Marv se incorporó.

Bob y él se quedaron agachados junto a Rardy.

—Voy a vomitar.

Bob y Marv retrocedieron unos pasos.

Rardy expulsó aire varias veces, tragó aire varias veces, repitió la operación y luego anunció:

—No, no voy a vomitar.

Bob se acercó. Marv se quedó donde estaba.

Bob le ofreció un paño de cocina y Rardy se lo llevó a la medusa de sangre y carne viva que le cubría la parte derecha de la cara, desde la cuenca del ojo hasta la comisura de la boca.

—¿Tengo muy mala pinta?
—Yo te veo bien —mintió Bob.
—Sí, estás bien —dijo Marv.
—No es verdad —dijo Rardy.
—No, no es verdad —concedieron Bob y Marv.

3

BAR DE ENTREGAS

Dos mujeres policía —G. Fenton y R. Bernardo— fueron las primeras en acudir a la llamada. En cuanto echaron un vistazo a Rardy, R. Bernardo pulsó el micro que llevaba al hombro y pidió que enviasen una ambulancia. Interrogaron a los tres, pero se centraron en Rardy porque nadie creía que durase demasiado. Tenía la piel del color de noviembre y no paraba de lamerse los labios y parpadear. Si nunca había tenido una conmoción cerebral, ahora ya podía tacharla de su lista de pendientes.

Luego se abrió la puerta y entró el inspector a cargo del caso. Su cara, inexpresiva e indiferente, se volvió curiosa y después divertida cuando sus ojos repararon en Bob.

Lo señaló y dijo:

—Misa de las siete, iglesia de Saint Dominic.

—Sí.

—Nos vemos todas las mañanas desde hace... ¿cuánto, dos años? ¿Tres? Y nunca nos hemos presentado. —Le tendió la mano—. Inspector Evandro Torres.

Bob le estrechó la mano.

—Bob Saginowski.

El inspector Torres también estrechó la mano de Marv.

—Dejadme hablar con mis chicas... mis agentes, perdón, y luego todos repasaremos lo sucedido.

Se acercó a las agentes Fenton y Bernardo. Mientras hablaban en voz baja, los tres señalaban y asentían sin parar.

—¿Conoces a ese tipo? —preguntó Marv.

—No lo conozco. Vamos a la misma iglesia —respondió Bob.

—¿Cómo es?

—No lo sé.

—¿Vais a la misma iglesia y no sabes cómo es?

—¿Conoces a todos los que suelen ir a tu gimnasio?

—No es lo mismo.

—¿Ah, no?

Marv suspiró.

—No lo es.

Torres volvió, todo dientes blanquísimos y mirada traviesa. Hizo que le contaran exactamente lo que recordaban y sus historias fueron muy parecidas, aunque no coincidieron en si el del revólver había llamado a Marv imbécil o idiota. Por lo demás, estaban sincronizados. No mencionaron la parte en que Marv le había preguntado al macizo si sabían de quién era en realidad el bar, y eso que no habían tenido tiempo de ponerse de acuerdo. Pero, en East Buckingham, la maternidad del hospital de Saint Margaret tenía la frase CIERRA LA PUTA BOCA garabateada encima de la entrada.

Torres escribió en su cuaderno de reportero.

—Así que pasamontañas, jerséis negros de cuello alto, abrigos negros, vaqueros negros, el flaco más nervioso que el otro, aunque los dos llevaban bien la presión. ¿No recordáis nada más?

—Creo que eso es todo —dijo Marv, y activó su sonrisa cívica. El señor Bienintencionado.

—El tipo que estaba más cerca tenía el reloj parado —dijo Bob.

Notó la mirada de Marv y vio que Rardy, con una bolsa de hielo en la cara, también lo miraba. No tenía la menor idea de por qué había abierto la boca. Y a continuación, para mayor sorpresa todavía, abrió la puta boca otra vez.

—Llevaba el reloj vuelto hacia dentro, así. —Bob giró la muñeca.

Torres sostuvo el bolígrafo suspendido encima del papel.

—¿Y las manecillas estaban paradas?

Bob asintió.

—Sí. A las seis y cuarto.

Torres lo anotó.

—¿Cuánto se llevaron?

—Lo que había en la caja —dijo Marv.

Torres mantuvo los ojos y la sonrisa clavados en Bob.

—¿«Sólo» lo que había en la caja?

—Lo que había en la caja, agente —dijo Bob.

—Inspector.

—Inspector. Sólo lo que había en la caja.

Torres echó un vistazo al bar.

—O sea que, si preguntara por ahí, nadie sabría nada de alguien que se dedica a las apuestas o que, tal vez —miró a Marv—, facilita un tránsito seguro a determinados artículos sustraídos.

—Joder, ¿determinados qué?

—Artículos sustraídos. Es una forma bonita de decir material robado.

Marv hizo como que reflexionaba. Luego negó con la cabeza.

Torres miró a Bob, que reprodujo la negativa.

—¿O que vende una bolsita de maría de vez en cuando? ¿Nadie sabría nada de eso? —preguntó Torres.

Marv y Bob se acogieron a la quinta enmienda sin tener que mentarla siquiera.

Torres se balanceó sobre los talones y los miró fijamente, como si interpretaran una parodia cómica.

—Y si compruebo los recibos de la caja registradora... por cierto, Rita, asegúrate de cogerlos... ¿coincidirán exactamente con la cantidad de dinero robado?

—Seguro —dijo Marv.

—Fijo —dijo Bob.

Torres se echó a reír.

—Ah, entonces los recaudadores ya habían pasado. Una suerte para vosotros.

Por fin había conseguido molestar a Marv, que respondió con un refunfuño:

—No me gusta lo que está... o sea, lo que insinúa. Nos han robado.

—Ya sé que os han robado.

—Pero nos trata como si los sospechosos fuéramos nosotros.

—Pero no de robar vuestro propio bar. —Torres le dedicó una lánguida caída de ojos y un suspiro—. Marv... Te llamas Marv, ¿verdad?

Marv asintió.

—Eso es lo que dice el rótulo de la fachada, sí.

—Pues bien, Marv. —Torres le dio unas palmaditas en el hombro y Bob tuvo la sensación de que contenía la risa—. Todo el mundo sabe que en tu bar se hacen entregas.

—¿Se hacen qué? —Marv se llevó una mano a la oreja y se inclinó hacia delante.

—Entregas.

—Desconozco ese término —dijo Marv, buscando con la mirada un público para el que actuar.

—¿En serio? —Torres le siguió el juego, encantado—. Pues bien, resulta que en este vecindario y varios otros de la ciudad hay ciertos elementos criminales.

—No me diga —dijo Marv.

Torres abrió mucho los ojos.

—Oh, sí, es cierto. Y circula el rumor, que algunos llaman leyenda urbana y otros puta realidad, con perdón, el rumor de que un colectivo criminal, un sindicato, podríamos decir...

Marv se echó a reír.

—¡Un sindicato!

Torres también rió.

—Pues sí, en efecto, un sindicato criminal formado en su mayor parte por europeos del Este, lo que serían croatas y rusos y chechenos y ucranianos...

—¿Qué, no hay búlgaros? —preguntó Marv.

—Ésos también. Pues circula el rumor de que... ¿Estás listo?

—Estoy listo —dijo Marv, y ahora le tocó a él mecerse sobre los talones.

—El rumor de que ese sindicato mueve apuestas y vende droga y controla la prostitución en toda la ciudad. De este a oeste y de norte a sur. Pero siempre que nosotros, la policía, intentamos confiscar esos ingresos ilegales, que es como los llamamos, el dinero no está donde creíamos que estaría. —Torres levantó las manos, sorprendido.

Marv imitó el gesto, añadiendo una cara de payaso triste, por si acaso.

—¿Dónde está el dinero?

—¿Dónde? —se preguntó Marv.

—No está en el burdel, ni en el antro de los camellos, ni en el garito de apuestas. Ha desaparecido.

—Puf.

—Puf —repitió Torres. Bajó la voz e indicó a Marv y Bob que se acercaran. Habló tan bajo que casi susurraba—: La teoría es que cada noche se recauda todo ese dinero y... —Torres dibujó unas comillas en el aire— se «entrega» a un bar previamente seleccionado de algún punto de la ciudad. El bar recibe toda la pasta procedente de los negocios turbios de esa noche y la guarda hasta la mañana. Luego algún ruso con trinchera de cuero negro y demasiada loción de afeitar aparece por el bar, recoge la pasta y se la lleva de vuelta al sindicato.

—Otra vez ese sindicato —dijo Marv.

—Y ya está. —Torres dio una palmada tan fuerte que Rardy se volvió a mirarlo—. El dinero se ha esfumado.

—¿Puedo preguntarle algo? —dijo Marv.

—Desde luego.

—¿Por qué no esperar en el bar en cuestión con una orden de registro y trincarlos por recibir toda esa pasta ilegal?

—Ah, gran idea —dijo Torres, levantando el índice—. ¿Has pensado en hacerte policía?

—No.

—¿Seguro? Tienes madera, Marv.

—Sólo soy un humilde tabernero.

Torres rió entre dientes y volvió a inclinarse en plan conspiratorio.

—La razón de que no podamos trincar esos bares de entregas es que nadie, ni siquiera los del bar, sabe que la entrega se va a realizar ahí hasta unas pocas horas antes.

—¡No!

—Sí. Y entonces puede que no vuelvan a recibir una entrega en seis meses. O puede que vuelvan a entrar en acción dos días después. La cuestión es... que nunca se sabe.

Marv se rascó la barbilla.

—Nunca se sabe —repitió, asombrado.

Los tres se quedaron allí de pie, sin decir nada.

—Bueno, si se os ocurre algo más, llamadme —dijo Torres por fin.

Le dio una tarjeta a cada uno.

—¿Alguna probabilidad de pillar a esos tipos? —Marv se abanicó la cara con la tarjeta.

—Bueno... —dijo Torres, magnánimo— pocas.

—Al menos es sincero.

—Al menos uno de nosotros lo es. —Torres soltó una sonora carcajada.

Marv también se echó a reír, pero luego se interrumpió en seco y adoptó una mirada gélida, como si aún fuera un tipo duro.

—Una lástima lo de Saint Dominic, ¿verdad? —le dijo Torres a Bob.

—¿Qué pasa? —preguntó Bob, encantado de poder hablar de cualquier otra cosa, la que fuese.

—Que se acabó. La clausuran.

Bob abrió la boca, pero no pudo hablar.

—Lo sé, lo sé. Me he enterado hoy mismo. La incorporan a la de Saint Cecilia. ¿No es increíble? —Torres negó con la cabeza—. Esos tipos armados, ¿os suena si habían pasado antes por aquí?

Bob seguía pensando en la iglesia de Saint Dominic. A Torres, sospechaba, le gustaba joder al personal.

—Sonaban como otros miles de tíos que han pasado por aquí.

—¿Y cómo suenan esos miles de tíos?

Bob se lo pensó.

—Como si acabasen de pasar un resfriado.

Torres volvió a sonreír, pero esta vez parecía sincero.

—Parece muy propio de esta parte de la ciudad.

Unos minutos después, las dos policías se marchaban en su coche, Rardy estaba sentado en una camilla detrás de la ambulancia mientras el sanitario intentaba arrebatarle de las manos una lata de Narragansett.

—Tienes una conmoción cerebral —le decía el tipo.

Rardy recuperó la lata.

—No me la ha provocado la cerveza.

El de la ambulancia miró al primo Marv, que le quitó la cerveza a Rardy.

—Es por tu bien.

Rardy volvió a coger la lata y le dijo a Marv que era un capullo.

Mientras Torres y Bob observaban el pequeño conflicto, el inspector dijo:

—Menuda farsa.

—Se pondrá bien —dijo Bob.

—Me refiero a Saint Dominic. Una iglesia preciosa. Y daban bien la misa. Sin abrazos colectivos después del Padrenuestro ni cantantes de folk. —Miró hacia el callejón con ojos de víctima desesperada—. Cuando los laicos se cansen de perseguir a la Iglesia, sólo nos quedará un puñado de condominios con cristales de colores en las ventanas.

—Pero... —dijo Bob.

Torres lo fulminó con la mirada de superioridad moral que un mártir dirige a los paganos mientras le preparan la hoguera.

—Pero ¿qué?

—Bueno... —Bob abrió las manos.

—No, ¿qué?

—Si la Iglesia reconociera la verdad...

Torres se cuadró; ya no quedaba ni rastro de travesura en su mirada.

—Conque es eso, ¿eh? No veo que el *Globe* publique artículos en portada sobre los abusos en el mundo musulmán.

Bob sabía que debía cerrar el pico, pero algo se apoderó de él.

—Ocultaron violaciones a niños. Órdenes de Roma.

—Pidieron perdón.

—¿Y sirvió de algo? Si no hacen públicos los nombres de los curas que violaron...

Torres levantó las manos en el aire.

—La culpa es del catolicismo de pacotilla. La gente quiere ser católica, salvo, digamos, para la parte difícil. ¿Tú por qué no comulgas?

—¿Qué?

—Hace años que te veo en misa. No has comulgado ni una sola vez.

Bob se sintió apabullado y ultrajado.

—Eso es asunto mío.

Por fin Torres sonrió, pero era una sonrisa tan despiadada que Bob la habría olido con los ojos cerrados.

—Eso crees, ¿eh? —dijo el policía, y se fue al coche.

Bob se dirigió a la ambulancia preguntándose qué coño había pasado. Pero lo sabía: se había ganado la enemistad de un poli. Toda una vida oculto en el inexpugnable cubículo de su anonimato y ahora se lo habían desparramado todo por la calle.

Los de urgencias se disponían a meter la camilla de Rardy en la ambulancia.

—¿Has quedado con Moira? —preguntó Bob.

—Sí, la he llamado. —Rardy le quitó la cerveza a Marv y se la acabó de un trago—. La cabeza me duele de la hostia. De la hostia.

Lo metieron en la ambulancia. Bob cogió la lata vacía cuando Rardy la tiró. Los sanitarios cerraron las puertas traseras y se alejaron.

Marv y Bob se quedaron plantados en aquel silencio repentino.

—¿Ese poli te va a prestar su chupa de cuero? ¿O primero tienes que dejarle que te pellizque los pezones?

Bob suspiró.

Marv no iba a dejarlo pasar.

—¿Por qué coño le has dicho lo del reloj?

—No lo sé —dijo Bob, y entonces cayó en la cuenta de que no lo sabía. No tenía ni idea.

—Bueno, pues corta de raíz ese puto impulso tuyo, digamos que para el resto de tu vida. —Marv encendió un cigarrillo y pateó el suelo para librarse del frío—. Nos han birlado cinco de los grandes, y calderilla. Pero Anwar y Makkhal habían recogido ya el sobre, así que no voy a pringar por eso.

—Entonces todo va bien.

—Nos han robado cinco de los grandes. Es su bar, es su dinero. No va todo bien, joder.

Miraron de nuevo el callejón. Los dos temblaban de frío. Al cabo de un rato volvieron al bar.

4

SEGUNDA CIUDAD

El domingo por la mañana, Nadia le llevó el cachorro al coche, donde él esperaba, en punto muerto, delante de la casa. Se lo dio por la ventanilla y se despidió de ambos con un leve movimiento de la mano.

Bob miró el cachorro que había en el asiento y se asustó. ¿Qué come? ¿Cuándo come? Adiestramiento. ¿Cómo se hace? ¿Cuánto se tarda? Había tenido algunos días para plantearse esas preguntas, ¿por qué se le ocurrían sólo ahora?

Pisó el freno y retrocedió un par de metros. Nadia, un pie en el primer escalón, se volvió. Bob bajó la ventanilla del lado del acompañante y fue inclinándose sobre el asiento contiguo hasta que alcanzó a verla.

—No sé qué hacer —le dijo—. No sé nada.

En la tienda de artículos para mascotas, Nadia escogió varios muñequitos para morder y le explicó a Bob que eran imprescindibles si quería conservar el sofá. Los zapatos, escóndelos de ahora en adelante, guárdalos en un estante alto, le dijo. Compraron vitaminas —¡para un perro!— y una bolsa de comida para cachorros que ella le recomendó, y luego insistió en que era importantísimo comprar siempre la misma marca a partir de entonces. Si le cambias la dieta a un perro, le advirtió, te encontrarás montones de diarrea en el suelo.

Compraron la jaula donde estaría el cachorro cuando Bob fuera a trabajar. Compraron un bebedero para la jaula y un libro de adiestramiento canino escrito por unos monjes que en la cubierta parecían bastante duros, nada monjiles, y sonreían mucho. Mientras el cajero pasaba los artículos, Bob sintió un temblor por todo el cuerpo, una alteración momentánea al ir a coger la cartera. Le ardía la garganta. La cabeza le daba vueltas. Y sólo cuando pasó el temblor y se le enfrió la garganta y se le despejó la cabeza y le dio la tarjeta de crédito al cajero comprendió qué era esa sensación, precisamente porque acababa de perderla.

Por un instante —a lo mejor incluso una sucesión de instantes en la que ninguno destacaba lo suficiente para señalarlo como causa— había sido feliz.

—Bueno, gracias —dijo Nadia cuando Bob detuvo el coche frente a su casa.

—¿Qué? No. Gracias a ti. Por favor. En serio. Es... Gracias.

—Este renacuajo es buena gente. Te sentirás orgulloso de él, Bob.

Bob miró al cachorro, que ahora dormía en las rodillas de Nadia, roncando un poco.

—¿Eso es lo que hacen? ¿Dormir a todas horas?

—Duermen mucho. Luego corren como locos unos veinte minutos. Después duermen un poco más. Y hacen caca. Bob, tío, recuérdalo: mean y cagan como locos. No te enfades, no saben hacer otra cosa. Lee los libros.

Lleva su tiempo, pero aprenden bastante pronto a no hacérselo en casa.

—¿Qué es bastante pronto?

—¿Dos meses? —Ladeó la cabeza—. Quizá tres. Ten paciencia, Bob.

—Paciencia —repitió él.

—Y tú también —dijo Nadia dirigiéndose al cachorro, mientras lo levantaba de su regazo.

El perro se despertó, empezó a olisquear y resoplar. No quería que Nadia se fuera.

—Cuidaos los dos —dijo ella mientras salía del coche.

Dedicó un último gesto de despedida a Bob mientras subía los escalones y entraba en su casa.

El cachorro se quedó mirando por la ventanilla, de pie sobre las patas traseras, como esperando el regreso de Nadia. Después se volvió hacia Bob. Bob percibió la sensación de abandono del perro. También la propia. Estaba seguro de que juntos, él y aquel perro desechable, iban a liarla. Estaba seguro de que el mundo era demasiado fuerte.

—¿Cómo te llamas? —le preguntó al cachorro—. ¿Qué nombre te pondremos?

El cachorro volvió la cabeza como diciendo: pídele a esa chica que vuelva.

Lo primero que hizo fue cagarse en el comedor.

Al principio, Bob ni se dio cuenta de lo que estaba pasando. El cachorro se puso a olisquear con la nariz pegada a la alfombra y luego miró a Bob con expresión avergonzada. Bob dijo: «¿Qué?» y el perro se cagó en toda una esquina de la alfombra.

Bob trastabilló hacia él como si pudiera detenerlo, volver a metérselo, y el cachorro huyó corriendo a la cocina, dejando un rastro de gotas en la madera del suelo.

—No, no. No pasa nada —dijo Bob.

Pero sí pasaba. Casi todo lo que había en la casa había pertenecido a su madre y casi nada había cambiado desde que ella compró la vivienda en los años cincuenta. Aquello era mierda. Excremento. En la casa de su madre. En la alfombra de su madre, en su suelo.

En los segundos que tardó en llegar a la cocina, el cachorro dejó un charquito de pis en el linóleo. Bob estuvo a punto de resbalar en él. El perro se quedó sentado junto a la nevera, mirándolo, preparado para el golpe, intentando no temblar.

Y eso detuvo a Bob. Se quedó quieto, aunque sabía que cuanto más tiempo dejara la mierda en la alfombra, más le costaría limpiarla.

Se puso a gatas. De pronto sintió lo mismo que había notado al sacar al perro de la basura, algo que creía haber dejado con Nadia. Un vínculo. Sospechó que el perro y él no se habían encontrado por casualidad.

—Oye —dijo, apenas un susurro—. Oye, no pasa nada.

Alargó un brazo muy despacio y el cachorro se apretó más contra la nevera. Pero Bob siguió acercando la mano hasta rozarle un lado de la cabeza. Quiso calmarlo con un murmullo. Le sonrió.

—No pasa nada —susurró una y otra vez.

En esa época, el inspector Evandro Torres trabajaba en Robos, pero antes había sido alguien. Durante una gloriosa etapa de un año y tres meses había sido inspector de Homicidios. Luego, como solía hacer con todo lo bueno de la vida, la había cagado y lo habían degradado.

Al terminar su turno, la gente de Robos se tomaba las copas en el JJ's y la de Homicidios en The Last Drop, pero, si se buscaba a alguien de Delitos Graves, éstos mantenían la tradición ancestral de beber en el coche junto al canal de Pen Park.

Allí encontró Torres a Lisa Romsey y su compañero, Eddie Dexter. Eddie era un tipo delgado y cetrino sin familia ni amigos conocidos. Tenía la personalidad de un arenal húmedo y sólo hablaba cuando alguien se dirigía a él, pero era una enciclopedia en todo lo referente a las mafias de Nueva Inglaterra.

Lisa Romsey era muy distinta: la latina más guapa y malcarada que jamás había llevado un arma. El apellido Romsey era lo que quedaba de su desastroso matrimonio de dos años con el fiscal del distrito; lo mantenía porque, en aquella ciudad, todavía abría más puertas de las que cerraba. Había sido compañera de Torres algunos años atrás, en una unidad especial. Cuando la cerraron, Romsey pasó a Delitos Graves, y allí seguía, mientras que él ascendió a Homicidios, donde ya no estaba.

Evandro los encontró sentados en un coche sin distintivos en el extremo meridional del aparcamiento, bebiendo de unos vasos de cartón de Dunkin' Donuts de los que no salía humo. El morro del coche apuntaba al canal; Evandro aparcó el suyo en la dirección contraria en la plaza contigua y bajó el cristal de la ventanilla.

Romsey bajó la suya después de hacerle saber, con una mirada, que se lo estaba pensando.

—¿Con qué celebramos hoy la puesta de sol? —preguntó Evandro—. ¿Whisky o vodka?

—Vodka —dijo Romsey—. ¿Te has traído vaso?

—¿Por quién me tomas?

Torres le tendió una taza de cerámica con la inscripción PAPÁ N.º 1 DEL MUNDO. Romsey arqueó una ceja al ver la frase, pero le sirvió vodka y le devolvió la taza.

Todos bebieron, Eddie Dexter con la vista fija en el parabrisas como si intentase encontrar el sol en un cielo tan gris que podría haber sido el muro de una prisión.

—¿Qué te cuentas, Evandro? —dijo Romsey.

—¿Recordáis a Marvin Stipler, de los viejos tiempos?

Romsey negó con la cabeza.

—El primo Marv. Los chechenos lo echaron a empujones de su negocio de apuestas hará... ¿cuándo fue? Unos nueve, diez años.

Ahora Romsey asintió.

—Ah, sí, sí. Los chechenos llegaron y le dijeron que los tenía pequeños. Él se ha pasado la siguiente década demostrándoles que no se equivocaban.

—Ése es. Anoche atracaron su bar. El bar pertenece a una de las empresas fantasma de papá Umarov.

Romsey y Eddie Dexter intercambiaron miradas de sorpresa y luego Romsey dijo:

—¿Qué clase de tarado atraca un bar como ése?

—Ni idea. ¿Delitos Graves va tras Umarov?

Romsey se sirvió otro vaso y negó con la cabeza.

—Apenas hemos sobrevivido a los últimos recortes; no vamos a asomar la nariz para correr detrás de un ruso que el ciudadano de a pie ni sabe que existe.

—Chechenos.

—¿Qué?

—Son chechenos, no rusos.

—No me jodas.

Torres señaló su anillo de casado.

—Como si eso te importara —dijo Romsey con una mueca.

—¿Así que el primo Marv no le interesa a nadie? —insistió Torres.

Romsey volvió a negar con la cabeza.

—Si lo quieres, Evandro, es todo tuyo.

—Gracias. Me alegro de verte, Lisa. Estás muy guapa.

Lisa le dedicó una caída de ojos, lo mandó a tomar por saco con un corte de mangas y volvió a subir la ventanilla.

• • •

A la mañana siguiente, la ciudad despertó con diez centímetros de nieve. Sólo llevaban un mes de invierno y ya habían caído tres buenas nevadas y varias neviscas. Si las cosas seguían así, cuando llegase febrero ya no sabrían dónde meter tanta nieve.

Bob y el primo Marv sacaron sendas palas a la entrada del bar, pero Marv se pasó casi todo el tiempo apoyado en la suya, excusándose por una antigua lesión de rodilla que nadie, salvo el propio Marv, podía recordar.

Bob le contó su día con el perro, lo que le habían costado las compras en la tienda de mascotas y la cagada del animal en el comedor.

—¿Y has limpiado la mancha de la alfombra? —preguntó Marv.

—Casi del todo —dijo Bob—. Pero es una alfombra oscura.

Marv lo observó por encima del mango de su pala.

—Una alfombra oscura... ¡Es la alfombra de tu madre! Una vez la pisé con el zapato, que ni siquiera estaba sucio, y casi me cortas el pie.

—Ya habló la reina del drama —dijo Bob, lo que lo sorprendió tanto como al mismo Marv.

Bob no era de los que se pasaran con nadie, sobre todo si ese nadie era Marv. Aunque, tuvo que admitirlo, le había sentado bien.

Marv se recuperó lo bastante como para agarrarse los huevos y lanzar un sonoro beso al aire; luego estuvo clavando la pala en la nieve durante un minuto, pero sólo conseguía levantarla del asfalto para que se la llevase la brisa, lo que jodió las cosas todavía más.

Dos Cadillac Escalade negros y una furgoneta blanca se detuvieron junto a la acera. La calle estaba vacía a esa hora del día y a Bob no le hizo falta mirar para saber quién podía dejarse caer por allí una mañana nevada con dos todoterrenos limpios y encerados.

Chovka Umarov.

—Las ciudades —dijo una vez el padre de Bob— no se dirigen desde los edificios oficiales. Se dirigen desde el sótano. ¿La Primera Ciudad? ¿La ciudad que ves? Ésa es la ropa que le pones al cuerpo para que tenga mejor aspecto. Pero la Segunda Ciudad es el cuerpo. Es ahí donde se aceptan apuestas y se venden mujeres, droga y la clase de televisores, sofás y objetos que un trabajador puede permitirse. Un trabajador sólo tiene noticias de la Primera Ciudad cuando ésta le da por el culo. Pero la Segunda Ciudad es la que lo rodea siempre, todos los días de su vida.

Chovka Umarov era el príncipe de la Segunda Ciudad.

El padre de Chovka, papá Pytor Umarov, era el amo de todo; compartía el poder con las antiguas facciones italiana e irlandesa y pactaba subcontratas con los negros y los puertorriqueños, pero en la calle se aceptaba como la cruda realidad que si papá Pytor decidía ser maleducado y pasarse por el forro a uno de sus socios, o a todos a la vez, nada podrían hacer para detenerlo.

Anwar se apeó del asiento delantero del primer todoterreno, con ojos fríos como la ginebra y poniendo mala cara por el tiempo que hacía, como si fuera culpa de Bob y Marv.

Chovka salió del asiento trasero del mismo Escalade, poniéndose los guantes y pisando con precaución por si había hielo en el suelo. El cabello y la barba recortada de Chovka eran del mismo negro que los guantes. No era alto ni bajo, no era grande ni pequeño, pero incluso de espaldas emitía una energía que a Bob le producía un cosquilleo en el cogote. Cuanto más cerca de César, mayor es el miedo, solía decir uno de sus profesores de Historia del instituto.

Chovka se detuvo junto a Bob y Marv, en un trozo de acera que Bob ya había despejado con la pala, y preguntó, como si se dirigiera a cualquier transeúnte:

—¿Quién necesita un quitanieves, pudiendo tener a Bob? —Y luego a éste—: A lo mejor vienes a mi casa después.

—Hum, claro —dijo Bob, porque no se le ocurría nada más que decir.

La furgoneta blanca se agitó levemente de lado a lado. Bob estaba seguro. El costado más próximo al bordillo se inclinó, y fuese cual fuese el peso que había causado la inclinación, volvió a centrarse y lo mismo hizo la furgoneta.

Chovka le dio unas cuantas palmadas en el hombro a Bob.

—Es broma. Vaya tío. —Sonrió a Anwar y luego a Bob, pero cuando miró a Marv sus pequeños ojos negros se hicieron más pequeños y más negros si cabe—. ¿Tú cobras el paro?

Se oyó un golpe sordo procedente de la furgoneta. Podía haber sido cualquier cosa. La furgoneta volvió a enderezarse.

—¿Qué? —dijo Marv.

—¿Qué? —Chovka retrocedió para ver mejor a Marv.

—Lo siento, quería decir.

—¿Qué sientes?

—No he entendido la pregunta.

—He preguntado si cobras el paro.

—No, no cobro el paro.

Chovka señaló la acera y luego sus palas.

—Bob hace todo el trabajo. Tú miras.

—No. —Marv retiró algo de nieve con la pala y la arrojó al montón de su derecha—. Yo también trabajo.

—Trabajas, ya. —Chovka encendió un cigarrillo—. Ven aquí.

Marv se llevó una mano al pecho, con una pregunta en los ojos.

—Los dos —dijo Chovka.

Avanzaron por la acera. La sal y el producto para fundir la nieve crujieron bajo sus pies como cristales rotos. Una vez en la calzada, detrás de la furgoneta, Bob vio que los bajos perdían lo que podría haber sido lubricante de la transmisión. Sólo que entonces habría caído por otro lado. Y el color y la consistencia serían distintos.

Chovka abrió las dos puertas de la furgoneta al mismo tiempo.

Dos chechenos grandes como contenedores con piernas estaban sentados a ambos lados de un hombre flaco y sudoroso. El tipo flaco vestía como un obrero de la construcción: camiseta térmica, camisa a cuadros azul y vaqueros color canela. Lo habían amordazado con un pañuelo de algodón y le habían taladrado un tornillo de quince centímetros en el empeine del pie derecho, que llevaba descalzo; la bota, con el calcetín asomando, estaba tirada a la derecha del pie. La cabeza del tipo se desplomó, pero uno de los chechenos le estiró del pelo hacia atrás y le puso una ampollita ámbar bajo la nariz. Nada más olerla, el tipo subió la cabeza de un tirón, abrió los ojos y recuperó por completo el sentido. Entretanto, el otro checheno fijaba la broca al taladro con una llave.

—¿Conocéis a este tipo? —preguntó Chovka.

Bob negó con la cabeza.

—No —dijo Marv.

—Pues yo sí conozco a este tipo —dijo Chovka—. ¿Desde cuándo lo conozco? Lo conozco. Cuando vino a verme para hacer negocios intenté explicarle que hay que tener un centro moral. ¿Eh, Bob? ¿Tú comprendes?

—Un centro moral —dijo Bob—. Claro, señor Umarov.

—Un hombre con centro moral sabe lo que sabe y sabe lo que hay que hacer. Sabe mantener sus asuntos en orden. En cambio, un hombre sin centro moral no sabe lo que no sabe y nunca se lo puedes explicar. Porque si supiera eso que no sabe, entonces tendría un centro moral. —Miró a Marv—. ¿Tú comprendes?

—Lo comprendo —dijo Marv—. Perfectamente.

Chovka sonrió y fumó un rato.

En la furgoneta, el obrero gimió y el checheno de su izquierda le dio cachetes en el cogote hasta que paró.

—¿Alguien ha atracado mi bar? —le preguntó Chovka a Bob.

—Sí, señor Umarov.

—Lo de señor Umarov es para mi padre, Bob —dijo Chovka—. A mí me llamas Chovka, ¿eh?

—Chovka. Sí, señor.

—¿Quién ha atracado nuestro bar?

—No lo sabemos —respondió el primo Marv—. Llevaban pasamontañas.

Chovka dijo:

—El informe de policía dice que uno llevaba el reloj roto. ¿Dijisteis vosotros eso a la policía?

Marv bajó la vista a su pala.

—Respondí sin pensar —dijo Bob—. Lo siento mucho.

Chovka se volvió un momento hacia el obrero de la construcción y fumó y nadie dijo nada.

Luego Chovka le preguntó a Marv:

—¿Qué habéis hecho para recuperar el dinero de mi padre?

—Hemos corrido la voz por el barrio.

Chovka miró a Anwar.

—Pues sí que ha corrido esa voz. Como nuestro dinero.

El tipo de la furgoneta se cagó encima. Todos lo oyeron y todos hicieron como que no lo oían.

Chovka cerró las puertas de la furgoneta. Golpeó la puerta dos veces con el puño y la furgoneta se alejó. Después se volvió hacia Bob y Marv.

—Encontrad nuestro puto dinero.

Chovka se subió al Escalade. Anwar se detuvo junto a la puerta, miró a Bob y le señaló una zona cubierta de nieve que se le había pasado por alto. Siguió a su jefe al interior del todoterreno y los dos Escalade se alejaron.

El primo Marv los despidió con la mano cuando llegaron a la señal de stop y doblaron a la derecha.

—Nosotros también les deseamos un feliz Año Nuevo de mierda, caballeros.

Bob se pasó un rato dándole a la pala en silencio. Marv se apoyó en la suya y miró la calle.

—El tipo de la furgoneta... No quiero volver a hablar ni a saber nada de él, ¿de acuerdo?

Bob tampoco quería hablar de él. Asintió.

Al cabo de un rato, Marv dijo:

—¿Cómo demonios vamos a encontrar el dinero? Si supiéramos dónde está, significaría que sabemos quién lo ha robado, y eso significaría que estábamos en el ajo, y eso significaría que nos meterían un tiro en la puta jeta. ¿Cómo demonios vamos a encontrar el dinero?

Bob siguió dándole a la pala porque era la clase de pregunta para la que no había respuesta.

Marv encendió un Camel.

—Putos *chechenios*, tío.

Bob se detuvo.

—Chechenos.

—¿Qué?

—Son chechenos —dijo Bob—, no *chechenios*.

Marv no le creyó.

—Pero son de Chechenia.

Bob se encogió de hombros.

—Sí, pero no llamas *irlandases* a la gente de Irlanda.

Se apoyaron en las palas y contemplaron la calle un rato hasta que Marv sugirió que entraran. Hacía frío, dijo, y la puta rodilla estaba matándolo.

5

EL PRIMO MARV

A finales de 1967, cuando la buena gente de Boston eligió como alcalde a Kevin White, se atribuía tal belleza a la voz del primo Marv que lo sacaron del tercer curso para que cantara en la proclamación. Todas las mañanas iba a Saint Dominic, pero por las tardes, después de comer, cruzaba la ciudad en autobús para ensayar con un coro de muchachos de la iglesia de Old South, en Back Bay. La iglesia, construida en 1875, estaba en el número 645 de la calle Boylston; Marv no olvidaría esa dirección en la vida. Al otro lado, en diagonal, estaba la iglesia de la Trinidad, otra obra maestra arquitectónica, y, a un tiro de piedra, la sede principal de la Biblioteca Pública de Boston y el hotel Copley Plaza, cuatro edificios tan majestuosos que cuando el pequeño Marv estaba dentro, aunque fuera en el sótano, se sentía más cerca del cielo. Más cerca del cielo, más cerca de Dios o de cualquiera de los ángeles u otros espíritus que flotaban en los márgenes de las viejas pinturas. Marv recordaba que tuvo su primera revelación adulta en esa época: sentirse más cerca de Dios tenía algo que ver con sentirse más cerca del conocimiento.

Y entonces lo expulsaron del coro.

Otro niño, Chad Benson —Marv tampoco olvidaría jamás ese puto nombre—, afirmó que había visto a Marv robando una chocolatina Baby Ruth de la bolsa de Donald Samuel, en las taquillas. Lo dijo delante de todo el coro, mientras el maestro y los ayudantes hacían una pausa para bajar a orinar. Chad dijo que todos sabían que Marv era pobre, pero que la próxima vez que quisiera comer, sólo tenía que pedirlo y le darían caridad. Marv le dijo a Chad que era un puto mentiroso. Chad se burló de Marv por tartamudear y ponerse colorado. Luego Chad le dijo que vivía de la beneficencia y le preguntó si conseguía la ropa en el tugurio de segunda mano de Quincy, y si toda su familia compraba allí o sólo Marv y su madre. Marv le dio un puñetazo tan fuerte en la cara que el crujido se oyó en todo el santuario. Cuando Chad cayó al suelo, Marv se le echó encima, lo cogió del pelo y le dio dos puñetazos más. Fue el tercero el que le desprendió la retina. No es que la lesión, por grave que fuese, tuviera alguna importancia en los acontecimientos que sucedieron; Marv estaba acabado desde el momento en que le dio el primer tortazo a aquel capullo. A los Chad Benson de este mundo, aprendió Marv aquel día, no se les podía pegar. Ni siquiera dudar de su palabra. Al menos, eso no estaba al alcance de los Marvin Stipler de este mundo.

En el proceso de expulsión, Ted Bing, el director del coro, le asestó un golpe más al decirle que, según su oído experto, le cambiaría la voz a los nueve años.

Marv tenía ocho.

Ni siquiera le dejaron subir al autobús para volver a casa con el resto del coro. Sólo le dieron dinero para el metro y regresó a East Buckingham en la línea roja, por debajo de la ciudad. Esperó hasta el trayecto a pie que haría de la estación a su casa para comerse la chocolatina Baby Ruth de Donald Samuel. Nunca había disfrutado tanto de una comida hasta aquel momento, ni volvería a hacerlo desde entonces. No sólo por el chocolate, un poco fundido, sino por el intenso sabor mantecoso de la autocompasión, que cautivó cada una de sus papilas gustativas y le acarició el corazón. Sentirse furioso con causa y víctima trágica al mismo tiempo fue, Marv se lo admitía raras veces, mejor que cualquier orgasmo de la historia del polvo.

La felicidad lo ponía nervioso, porque sabía que no duraba. Pero valía la pena abrazar los despojos de la felicidad, pues siempre te devolvían el abrazo.

A los nueve años le cambió la voz, tal como ese cabrón de Ted Bing había dicho. Se acabó lo de cantar en un coro. Durante el resto de su vida, Marv evitaría el centro de la ciudad siempre que le era posible. Aquellos viejos edificios, antes sus dioses, se transformaron en crueles espejos. Marv veía reflejadas en ellos todas las versiones de sí mismo que nunca llegaría a ser.

Tras la visita de Chovka con su Guantánamo sobre ruedas, sus ojos de capullo y su actitud de capullo, Marv había quitado la nieve del resto de la acera, pese a su rodilla mala, mientras el cabrón de Bob se limitaba a mirar, seguramente porque soñaba con ese perro que lo tenía tan obsesionado que ya casi ni se podía hablar con él. Después entraron y, cómo no, Bob empezó a hablar otra vez del chucho. Marv no le hizo saber cuánto lo aburría, porque, la verdad sea dicha, daba gusto ver a Bob entusiasmado con algo.

La mala suerte de Bob en la vida no era sólo que lo hubiesen criado unos padres viejos y simplones, sin amigos ni relaciones. La auténtica mala suerte era que esos padres lo habían malcriado, asfixiado tan completamente en un amor desesperado (relacionado, sospechaba Marv, con su partida inminente de la tierra de los vivos) que Bob nunca había aprendido a sobrevivir del todo en un mundo de hombres. Aunque a muchos de quienes lo conocían les hubiera sorprendido saberlo,

Bob podía dar bastante miedo si accionabas el interruptor equivocado de ese lento cerebro suyo; sin embargo, había otra parte de él tan necesitada de afecto que anulaba a la que podía joder de verdad a cualquiera que lo pusiera en apuros.

Ahora la mafia chechena los vigilaba porque Bob había sido lo bastante tonto como para darle información gratis a un poli. Y no a un poli cualquiera. ¡Un conocido suyo! De misa.

La mafia chechena. Los vigilaba. Porque Bob era débil.

Esa noche Marv llegó pronto a casa. Como no había mucho movimiento en el bar, tampoco había motivos para quedarse cuando pagaba a Bob para que hiciese su puto trabajo. Se detuvo en el recibidor para quitarse el abrigo y los guantes, el sombrero y la bufanda; el invierno era sólo una maldita excusa para ponerse una cantidad de mierda que los hawaianos ni siquiera sabían que existía.

—¡¿Eres tú?! —gritó Dottie desde la cocina.

—¡¿Quién va a ser?! —gritó Marv a su vez, aunque al empezar el año se había prometido que sería más amable con su hermana.

—Pues podía ser uno de esos críos que dicen que venden suscripciones a revistas para salir del gueto.

Marv buscó un gancho para colgar el sombrero.

—¿Y ese crío no llamaría al timbre de la puerta?

—Te pueden rebanar el cuello.

—¿Quiénes?

—Esos críos.

—Con las revistas. ¿Qué hacen, cogen uno de esos encartes, o como se llamen, y te desangran de un corte con el filo del papel?

—Tu bistec está en marcha.

Marv oyó el chisporroteo.

—Voy.

Se quitó la bota derecha empujando con la izquierda, pero luego tuvo que quitarse ésta con la mano. La punta estaba oscura. Al principio creyó que era nieve.

Pero no, era sangre.

La misma sangre que había manado del pie de aquel tipo y se había colado por un agujero del suelo de la furgoneta para gotear en la calle.

Había ido a parar a la bota de Marv.

Esos chechenos, joder. Esos putos chechenos.

Al hombre tonto dale descanso. Al listo dale ambición.

Cuando entró en la cocina, Dottie, vestida con la bata de estar por casa, dos renos de peluche por zapatillas, y sin quitarle el ojo a la sartén, le dijo:

—Se te ve cansado.

—Pero si aún no me has visto.

—Te vi ayer. —Le dedicó una sonrisa agotada—. Ahora sí te veo.

Marv cogió una cerveza del frigorífico mientras intentaba quitarse de la cabeza la imagen del pie de aquel tipo y del puto checheno cabrón que fijaba la broca al taladro con una llave.

—¿Y? —le preguntó a Dottie.

—Pareces cansado —dijo ella, animada.

Después de cenar, Dottie se sentó en la salita a ponerse al día con sus series de la tele y Marv fue al gimnasio de Dunboy. Había tomado demasiada cerveza para hacer ejercicio, pero siempre podía meterse en la sauna.

A esa hora de la noche no había nadie en la sauna —apenas había nadie en todo el gimnasio— y al salir Marv se encontró mejor. Era casi como si hubiese hecho ejercicio y eso, ahora que caía en ello, era lo que solía pasar siempre que iba al gimnasio.

Se duchó y en parte deseó haber colado una cerveza a escondidas, pues no había nada como tomarse una cerveza fría bajo la ducha de agua caliente después de hacer ejercicio. Luego se vistió junto a su taquilla. Ed Fitzgerald se plantó delante de la siguiente y se puso a toquetear el candado.

—He oído que están cabreados —dijo Fitz.

Marv se puso los pantalones de pana.

—No esperaba que les gustase. Les han robado.

—Esos putos chechenos acojonantes están cabreados.

Fitz sorbió por la nariz y Marv casi dio por hecho que no era por el frío.

—Qué va, están bien. Y tú también estarás bien. Sólo procura que no te vean por ahí. Ni a tu hermano. —Miró a Fitz, que se ataba los cordones de los zapatos—. ¿Qué le pasa a su reloj?

—¿Por qué?

—Vi que no funcionaba.

Fitz pareció avergonzarse.

—Nunca ha funcionado. Nuestro viejo se lo regaló cuando Bri cumplió diez años y se paró como al día siguiente. El viejo no podía devolverlo porque, para empezar, lo había robado. Le dijo a Bri: «No te quejes, da bien la hora dos veces al día.» Bri no va a ningún lado sin él.

Marv se abrochó la camisa por encima de la camiseta imperio.

—Pues tendría que comprarse uno nuevo.

—¿Cuándo atracaremos un sitio donde caiga la entrega de verdad? No me gusta arriesgar mi vida, mi puta libertad, mi, ya sabes, todo, por cinco mil dólares de mierda.

Marv cerró su taquilla, con el abrigo en el brazo.

—Vamos a suponer que no soy un gilipollas sin un plan. Cuando un avión se estrella, ¿cuál es la aerolínea más segura para viajar?

—La misma que ha tenido el accidente.

Marv le dedicó una amplia y forzada sonrisa de listillo.

—Ahí lo tienes.

Fitz lo siguió fuera del vestuario.

—No entiendo ni una palabra de lo que dices. Es como si hablaras brasileño.

—Los brasileños hablan portugués.

—¿Sí? Pues que les den.

6

VÍA CRUCIS

Cuando todos salieron de la misa de siete (incluido el inspector Torres, que al pasar fulminó a Bob con una mirada de absoluto desprecio) y el padre Regan se retiró a la sacristía para cambiarse de ropa y limpiar los cálices (trabajo que antes hacían los monaguillos, pero ya no se encontraban monaguillos para la misa de siete), Bob permaneció en el banco. No estaba exactamente rezando, pero se quedó sentado, envuelto en esa quietud silenciosa tan difícil de encontrar fuera de una iglesia, para reflexionar sobre una semana llena de acontecimientos. Bob recordaba años enteros en los que no le había pasado nada. Años en los que, al mirar el calendario dando por hecho que era marzo, resultaba que ya era noviembre. Sin embargo, en los últimos siete días había encontrado el perro (todavía sin nombre), había conocido a Nadia, lo habían atracado a punta de pistola, había adoptado al perro y lo había visitado un gángster que se dedicaba a torturar a la gente en la trasera de una furgoneta.

Bob alzó la mirada hacia la bóveda. Observó el altar de mármol. Contempló las estaciones de la cruz, situadas regularmente entre los santos de las vidrieras. El vía crucis, cada estación una escultura que ilustraba el último viaje de Cristo en el mundo temporal, del juicio a la sepultura, pasando por la crucifixión. Había catorce estaciones, espaciadas de forma uniforme por toda la iglesia. Bob podría haberlas dibujado de memoria, si se le diese bien dibujar. Lo mismo podía decirse de los santos de las vidrieras, empezando por santo Domingo, por supuesto, patrón de las embarazadas, que no debía confundirse con el otro santo Domingo, patrón de los acusados en falso y fundador de la orden de los dominicos. Pocos miembros de la parroquia sabían que había dos santos Domingo y, de saberlo, no tenían ni idea de a cuál estaba consagrado el templo. Pero Bob sí. Su padre, el seglar principal de esa iglesia durante muchos años y el hombre más devoto que Bob había conocido, lo sabía, claro, y había transmitido esa información a su hijo.

«No me dijiste, papá, que en el mundo hay hombres que golpean a sus perros y los dejan morir en gélidos cubos de basura, y hombres que taladran los pies de otros hombres con una broca.»

«No tenía que decírtelo. La crueldad es más antigua que la Biblia. La barbarie dominó ya en el primer estío del hombre y ha seguido dominando desde entonces. En el hombre, lo peor es lo habitual. Lo mejor es mucho más insólito.»

Bob recorrió las estaciones. Vía crucis. Se detuvo en la cuarta: Jesús se encontraba con su madre mientras cargaba la cruz monte arriba, la corona de espinas en la cabeza, detrás dos centuriones que blandían sus látigos para apartarlo de su madre y obligarlo a seguir hasta la cima, donde lo clavarían a la misma cruz que le hacían cargar. ¿Se habrían arrepentido aquellos centuriones en algún momento de su vida? ¿Era posible arrepentirse?

¿O algunos pecados eran sencillamente demasiado grandes?

La Iglesia decía que no. Siempre que el arrepentimiento fuera sincero, la Iglesia decía que Dios perdonaba.

Pero la Iglesia era una intérprete, en ocasiones imperfecta. ¿Y si en ese caso se equivocaba? ¿Y si algunas almas nunca podían rescatarse del negro foso de su pecado?

Para que el cielo fuese un destino apreciado, el infierno debía albergar el doble de almas.

Bob ni siquiera se dio cuenta de que había bajado la cabeza hasta que la levantó.

A la izquierda de la cuarta estación de la cruz estaba santa Águeda, patrona de enfermeras y panaderos, entre otros, y san Roque, conocido allí como san Rocco, patrón de los solteros, los peregrinos y...

Bob retrocedió unos pasos para ver mejor aquella vidriera ante la que había pasado tantas veces que ya era incapaz de verla. Y allí, en el extremo inferior derecho de la ventana, mirando a su santo y dueño, había un perro.

Rocco, santo patrón de los solteros, los peregrinos y...

Los perros.

—*Rocco* —dijo Nadia cuando se lo contó—. Me... me gusta. Es un buen nombre.

—¿Tú crees? Estaba a punto de ponerle *Cassius*.

—¿Por qué?

—Porque al principio lo confundí con un bóxer.

—¿Y?

—Cassius Clay.

—¿Era un boxeador?

—Sí. Se cambió el nombre a Muhammad Ali.

—De ése sí he oído hablar —dijo ella, y de pronto Bob no se sintió tan viejo. Pero entonces Nadia añadió—: ¿No le han puesto ese nombre a una parrilla?

—No, ése es Foreman, otro boxeador.

Bob, Nadia y *Rocco*, que estrenaba nombre, andaban por un sendero junto al río de Pen Park. A veces Nadia se presentaba después del trabajo y sacaban a *Rocco* a pasear. Bob sabía que Nadia estaba un poco pirada —a Bob no se le escapaba que, pese a haber aparecido el perro tan cerca de su casa, ella no había dado ninguna muestra de sorpresa, o siquiera de interés—, pero ¿había alguien, en alguna parte del planeta, que no estuviera un poco pirado? Más que un poco, muchas veces. Nadia lo ayudaba con el perro y él, que no había tenido muchos amigos en la vida, aceptaba lo que se le presentaba.

Enseñaron a *Rocco* a sentarse, echarse, dar la pata y rodar por el suelo. Bob se leyó entero el libro de los monjes y siguió sus instrucciones. El veterinario desparasitó al perro y le curó la gripe canina antes de que pudiera desarrollarse. Lo vacunaron de la rabia y el parvovirus y se aseguraron de que no tuviese lesiones graves en la cabeza. Sólo contusiones profundas, dijo el veterinario; sólo contusiones profundas. Lo registraron. Crecía deprisa.

Aquel día, Nadia les enseñaba a andar juntos.

—Bien, Bob. Párate en seco y dilo.

Bob se detuvo y tiró de la correa para que *Rocco* se sentara junto a su pie izquierdo. *Rocco* jugueteó con la correa, dio una vuelta y se tumbó boca arriba.

—Aquí. No, *Rocco*. Aquí.

Rocco se sentó. Se quedó mirando a Bob.

—Vale, no está nada mal —dijo Nadia—. Camina diez pasos y lo repites.

Bob y *Rocco* avanzaron por el sendero. Bob se detuvo.

—Aquí.

Rocco se sentó.

—Muy bien. —Bob lo premió con una golosina.

Caminaron juntos otros diez pasos y lo intentaron de nuevo. Esta vez, *Rocco* le saltó a la altura de la cadera, aterrizó de costado y rodó varias veces por el suelo.

—Aquí —dijo Bob—. Aquí.

Caminaron juntos otros diez pasos y funcionó.

Lo intentaron de nuevo. Falló.

Bob miró a Nadia.

—Lleva su tiempo, ¿no?

Nadia asintió.

—A unos más que a otros. ¿Vosotros dos? Creo que tardaréis un poco.

Al cabo de un rato, Bob soltó la correa y *Rocco* salió disparado hacia los árboles; corrió de un lado a otro, siempre entre los troncos más próximos al sendero.

—No se alejará mucho de ti —dijo Nadia—. ¿Lo ves? No te pierde de vista.

Bob se ruborizó, orgulloso.

—Se me duerme en la pierna cuando veo la tele.

—¿De veras? —Nadia sonrió—. ¿Todavía pasan «accidentes» dentro de casa?

Bob suspiró.

—Oh, sí.

Se habían adentrado unos cien metros en el parque cuando se detuvieron en los aseos. Mientras Nadia iba al de señoras, Bob le puso la correa a *Rocco* y le dio otra golosina.

—Bonito perro.

Bob se volvió. Un tipo joven pasaba a su lado. Pelo lacio, alto y desgarbado, ojos claros, un pequeño aro de plata en el lóbulo izquierdo.

Bob saludó con una inclinación de cabeza y sonrió, agradecido.

El tipo se detuvo en el sendero, a un par de metros, y repitió:

—Bonito perro.

—Gracias —dijo Bob.

—Un perro precioso.

Bob miró al tipo, pero éste ya le había dado la espalda y se alejaba. El desconocido se cubrió la cabeza con una capucha y siguió andando con las manos en los bolsillos y los hombros encorvados para protegerse del frío.

Al salir del aseo de señoras, Nadia notó algo en la cara de Bob.

—¿Qué pasa?

Bob señaló el sendero con la barbilla.

—Ese tío no paraba de decir que *Rocco* es un perro bonito.

—*Rocco* es un perro bonito.

—Ya, pero...

—Pero ¿qué?

Bob se encogió de hombros y lo dejó estar, aunque sabía que allí había algo más. Lo intuía; algo acababa de rasgarse en el tejido del mundo.

En esa época Marv tenía que pagar para eso.

Después de su media hora con Fantasía Ibáñez, salió y se encaminó a su casa. Se veía con Fantasía una vez a la semana en la habitación trasera del burdel que Betsy Cannon dirigía en una de las viejas mansiones de alcaides, en lo alto de la zona conocida como Los Cerros. Ahí arriba todo eran casas victorianas del Segundo Imperio construidas en el siglo XIX, cuando la cárcel era la principal fuente de trabajo en East Buckingham. Hacía mucho ya que no existía; sólo quedaba su rastro en los nombres de algunas calles —Justicia, Libertad—, del mismo Pen Park —llamado así por la penitenciaría— y del bar más antiguo del barrio, La horca.

Marv bajaba la colina hacia la zona de los Bloques, sorprendido por la calidez del día. La temperatura no descendía de los cuatro grados y se mantenía incluso de noche: en las alcantarillas borboteaban arroyos de nieve fundida, los desagües evacuaban un líquido gris en las aceras y en las casas de madera asomaban burbujas de humedad, como si se hubieran pasado la tarde sudando.

Ya cerca de casa, se preguntó cómo se había convertido en un tipo que vivía con su hermana y tenía que pagar para echar un polvo. Esa tarde había ido a visitar a su viejo, Marv padre, y le había contado una sarta de mentiras, aunque el anciano ni siquiera se había enterado de que él estaba en la habitación. Le había dicho que, aprovechando el buen momento inmobiliario para la venta de locales comerciales y las escasas licencias para servir alcohol que se concedían en la ciudad, había vendido el Cousin Marv's por una pasta. Lo bastante para meter a su padre en una residencia buena de verdad, como la alemana de West Roxbury, si untaba a las personas adecuadas. Y ahora podía. Cuando todo el papeleo estuviese firmado y el banco le diese el dinero —«Ya sabes cómo son los bancos, papá, se lo quedan hasta que tienes que acabar rogándoles que te den tu propia pasta»—, Marv podría volver a hacerse cargo de la familia, como en los buenos tiempos.

Salvo que en esos buenos tiempos el viejo nunca había aceptado su dinero. El viejo era un coñazo para esas cosas, y nunca había dejado de preguntarle en su polaco chapurreado (Stipler era una americanización, y no muy buena, de Stepanski) por qué no podía trabajar en algo honrado como su padre, su madre y su hermana.

Marvin padre había sido zapatero, su mujer había trabajado treinta años en una lavandería y Dottie era secretaria en la aseguradora Allstate. Marv era capaz de vender su polla a la ciencia antes que trabajar como un pringado por un sueldo de pringado el resto de su vida, para acabar despertando en la recta final y preguntar ¿qué coño ha pasado?

Sin embargo, pese a todos sus conflictos, Marv quería al viejo y —le gustaba pensar— el viejo también a él. Habían visto juntos muchos partidos de los Sox y una vez a la semana habían jugado en la liga de bolos 50 Tenpin, donde el viejo demostraba una eficacia infalible en el tiro de banderillas, cuando sólo quedaban en pie los bolos de los extremos. Luego vino el derrame, un año después el infarto y tres meses más tarde el segundo derrame. Ahora Marvin Stipler padre vivía en una habitación en penumbra que olía a moho, pero no la clase de moho que se forma en las paredes húmedas, sino el de las personas que se acercan al final. Sin embargo, Marv no perdía la esperanza de que el anciano estuviera escondido por ahí y algún día le diese por volver. No sólo volver, sino volver con brillo en los ojos. Cosas más raras habían pasado en el mundo. El secreto estaba en no perder la esperanza. No perder la esperanza, conseguir algo de dinero e ingresarlo en algún sitio donde creyeran en los milagros y no sólo en almacenar a la gente.

Ya en casa, se sirvió una cerveza y un trago de Stoli, cogió un cenicero y se sentó con Dottie en la sala diminuta donde tenían la tele y los sillones reclinables. Dottie se estaba zampando un bol de helado de chocolate; como dijo que era el segundo, Marv supo que ya iba por el tercero, pero ¿quién era él para meterse con los placeres de los demás? Encendió un cigarrillo y miró un anuncio de aspiradores robóticos: los muy cabrones zumbaban por el suelo de un ama de casa dentuda como esos artilugios que te atacan de repente en las pelis de ciencia ficción. Marv se imaginó que muy pronto, al abrir un armario, la señora dentuda descubriría un par de platillos volantes robotizados conspirando entre susurros. Ella sería su primera víctima: los muy cabrones la atacarían por dos lados a la vez y la aspirarían hasta partirla en pedazos.

A Marv se le ocurrían muchas ideas como aquélla. Un día de ésos, se decía a menudo, tenía que escribirlas.

Cuando reanudaron «American Idol», Dottie se volvió hacia él en su sillón reclinable y dijo:

—Tendríamos que presentarnos a ese concurso.

—Tú no sabes cantar —le recordó Marv.

—No, al otro. —Dottie movió la cuchara en el aire—. Ese en el que la gente da la vuelta al mundo buscando pistas y cosas así.

—¿Ese de la carrera?

Dottie asintió.

Marv le dio unas palmaditas en el brazo.

—Dottie, eres mi hermana y te quiero, pero entre mis cigarrillos y tus helados tendrían que ir corriendo detrás de nosotros con desfibriladores y esas putas almohadillas de electroshock. Cada diez pasos que diésemos... ¡Bzzt! ¡Bzzt!

La cuchara de Dottie llegó al fondo del bol.

—Sería divertido. Veríamos cosas.

—¿Qué cosas?

—Otros países, otras formas de vivir.

Marv cayó en la cuenta de repente: cuando mangaran la verdadera entrega, él tendría que irse del país. No había vuelta de hoja. Hostia. ¿Despedirse de Dottie? Ni siquiera despedirse; irse, sin más. Joder, joder, cuántos sacrificios exigía el mundo a los hombres ambiciosos.

—¿Has visto a papá hoy?

—He pasado por allí.

—Quieren cobrar, Marv.

Marv empezó a mirar por toda la habitación.

—¿Quiénes?

—Los de la residencia —dijo Dottie.

—Ya cobrarán. —Marv, de pronto agotado, apagó el cigarrillo—. Ya cobrarán.

Dottie dejó el cuenco en la mesilla que había entre los sillones.

—Ahora ya no llaman los de la residencia, sino esas agencias de cobro a morosos. Con los recortes de Medicare, mi jubilación... Lo van a echar.

—¿Adónde?

—A un sitio peor.

—¿Lo hay?

Dottie lo escrutó con sumo cuidado.

—Puede que haya llegado el momento.

Marv encendió un pitillo, aunque tenía la garganta irritada por el último.

—Me estás diciendo que lo matemos. A nuestro padre. Porque es un estorbo.

—Ya está muerto, Marv.

—¿Ah, sí? ¿Y esos pitidos que salen de las máquinas? ¿Y esas ondas en la pantalla del aparato? Eso es vida.

—Eso es electricidad.

Marv cerró los ojos. La oscuridad era cálida, acogedora.

—Hoy me he tocado la cara con su mano. —Abrió los ojos, miró a su hermana—. Podía oír su sangre.

El silencio fue tan largo que «American Idol» daba paso ya a una nueva tanda de anuncios cuando Dottie carraspeó.

—Ya iré a Europa en otra vida —dijo.

Marv buscó los ojos de su hermana y le dedicó un gesto de agradecimiento. Poco después le dio unas palmaditas en la pierna.

—¿Quieres más helado?

Dottie le tendió el bol.

7

ERIC DEEDS

Cuando Evandro Torres tenía cinco años se quedó atrapado en la noria de Paragon Park, en la playa de Nantasket. Sus padres le habían dejado subir solo. A día de hoy seguía sin comprender en qué coño pensaban sus padres, o cómo había permitido el personal del parque que un niño de cinco años se sentara solo en una silla que se elevaba a más de treinta metros del suelo. Pero, joder, en aquella época a la gente no le preocupaba demasiado la seguridad infantil; si le pedías a tu viejo un cinturón de seguridad cuando iba a ciento cincuenta por hora con una cerveza Schlitz entre las piernas, te daba su corbata y te decía que te apañaras con ella.

Así que ahí estaba el pequeño Evandro, sentado en lo alto de la noria cuando se atascó, bajo un sol ardiente que le atacaba la cara y la cabeza como un enjambre de abejas. Si miraba a la izquierda, veía el parque y, más allá, el resto de Hull y Weymouth. Distinguía incluso algunas zonas de Quincy. A su derecha, en cambio, estaba el mar abierto; mar y más mar y luego las islas de la bahía de Boston y la silueta de la ciudad. Entonces cayó en la cuenta de que estaba viendo las cosas como las veía Dios.

Se estremeció al comprender lo pequeño y frágil que era todo: cada edificio, cada persona.

Cuando por fin repararon la noria y lo bajaron, creyeron que lloraba porque la altura lo había asustado. Y en verdad nunca volvieron a entusiasmarlo las alturas, pero no lloraba por eso. Lloraba (y siguió llorando tanto tiempo que en el trayecto de vuelta su padre, Héctor, amenazó con echarlo del coche en marcha) porque había comprendido que la vida era finita. Sí, sí —admitió en su única visita al psiquiatra después de su segunda degradación—, ya lo entiendo; todos sabemos que la vida se acaba. Pero la verdad es que no. En el fondo de nuestro ser creemos que conseguiremos librarnos, creemos que pasará algo que cambiará las condiciones (un nuevo descubrimiento científico, el Segundo Advenimiento de Cristo, extraterrestres, lo que sea) y que viviremos para siempre. Pero a los cinco años, a los cinco putos años, había sabido con absoluta certeza que él, Evandro Manolo Torres, iba a morir. Quizá no aquel mismo día. Aunque —pensándolo bien— quizá sí.

Aquella certeza instaló el tictac de un reloj en el centro de su cabeza y en su corazón, una alarma que sonaba cada hora en punto.

Y a Evandro le dio por rezar. Y por ir a misa. Y leer la Biblia. Y tratar de experimentar todos los días una íntima comunión con el Señor Nuestro Salvador y Padre Celestial.

Y beber demasiado.

Y, durante un tiempo, también fumó demasiado y esnifó coca, malos vicios los dos, aunque ya quedaban a más de cinco años de distancia.

Y quiso a su mujer y a sus hijos y procuró asegurarse de que ellos lo supieran y lo notaran todos los días.

Pero no bastaba. La brecha —el puto abismo, el agujero, el absceso que tenía en el centro— no se cerraba. Independientemente de lo que viese el mundo cuando lo miraba, al mirarse a sí mismo Evandro veía un hombre corriendo hacia un punto del horizonte que nunca podía alcanzar. Y un día, en plena carrera, las luces se apagarían. Y no se encenderían más. No en este mundo.

Y eso aceleraba el tictac del reloj, aumentaba el volumen de la alarma y convertía a Evandro Torres en un ser enloquecido, desamparado y necesitado de algo —cualquier cosa— que lo anclase en el presente.

Ese algo, desde que tenía edad para saberlo, era la carne.

Así fue como se descubrió en la cama de Lisa Romsey por primera vez en dos años, los dos lanzados como si no hubiese pasado el tiempo, encontrando su ritmo antes incluso de caer en el colchón, su aliento y su piel oliendo a alcohol, pero era un aliento cálido, una piel cálida. Y cuando él se corrió, lo sintió hasta en los huesos más pequeños del cuerpo. Lisa se corrió al mismo tiempo y el gemido que brotó de su garganta fue tan intenso que levantó el techo.

Torres tardó cuatro segundos en apartarse de ella y cinco más en empezar a arrepentirse.

Lisa se sentó en la cama y le pasó un brazo por delante para coger la botella de tinto de la mesita de noche. Bebió de la botella. Dijo: «Joder.» Dijo: «Tío.» Dijo: «Mierda.»

Le tendió la botella a Torres.

Él tomó un trago.

—Oye, son cosas que pasan.

—Eso no quiere decir que deban pasar, imbécil.

—¿Y por qué soy yo el imbécil?

—Porque estás casado.

—Pero no bien.

—Quieres decir que no eres feliz.

—No. Casi siempre somos felices, pero no llevamos bien toda la historia de la fidelidad doméstica. Nos resulta tan difícil como entender la puta teoría de cuerdas.

Joder, mañana tengo que mirar al cura a los ojos y confesarle esto.

—Eres el peor católico que he conocido.

Torres, sorprendido, rió entre dientes.

—Ni de lejos.

—¿Cómo es posible, pecador?

—No se trata de no pecar —le explicó—. Se trata de aceptar que naces caído y que la vida es un intento de redención.

Romsey puso los ojos en blanco.

—¿Por qué no te caes de mi cama y te largas?

Torres suspiró y salió de debajo de las sábanas. Se sentó en el borde de la cama y se puso los pantalones, buscó la camisa y los calcetines. Gracias al espejo, pilló a Romsey mirándolo y supo que lo hacía con agrado, por mucho que se esforzara en evitarlo.

Gracias, Jesús, por estos pequeños milagros.

Romsey encendió un cigarrillo.

—El otro día, cuando te fuiste, indagué un poco sobre tu bar de entregas, el Cousin Marv's.

Torres encontró un calcetín, pero no el otro.

—¿Sí?

—Aparece en un caso no resuelto de hace diez años.

Torres interrumpió la búsqueda del calcetín. Se dio la vuelta para mirarla.

—No jodas.

Romsey se volvió para coger algo que tenía detrás de la espalda y que él no reconoció. Después sacudió una mano y un calcetín aterrizó en la cadera de Torres.

—Un chico, Richard Whelan, salió de allí una noche y nadie volvió a verlo. Si resolvieras un uno ocho siete que lleva diez años abierto, Evandro...

—Podría volver a Homicidios.

Ella hizo una mueca.

—Tú nunca podrás volver a Homicidios.

—¿Por qué no?
—Nunca.
—¿Por qué no? —repitió él.
Conocía la respuesta, pero esperaba que, a saber cómo, algo hubiese cambiado.
—Porque lo dirige Scarpone.
—¿Y?
—Y te follaste a su mujer, gilipollas. Luego la acompañaste a casa borracho, pese a que estabas de servicio, y destrozaste el coche patrulla que conducías.
Torres cerró los ojos.
—Vale, nunca podré volver a Homicidios.
—Pero, si resuelves un caso así, podrías entrar en Delitos Graves.
—¿Sí?
Ella sonrió.
—Sí.
Torres se puso el calcetín, encantado con la idea.
Estaba perdido, pero he encontrado el camino, diría cuando le concedieran el traslado.

Marv salió de Cottage Market con dos cafés, una bolsa de bollos, el *Herald* bajo el brazo y diez boletos de rasca y gana de Massachusetts en el bolsillo del abrigo.

Mucho tiempo atrás, en su momento de mayor orgullo y también el más difícil de su vida, Marv se había desenganchado de la cocaína. Le había caído un dinero inesperadamente y había hecho lo que debía: pagar sus deudas y limpiar su jodido desastre. Hasta ese día, había sido un puto degenerado sin dignidad ni control. Pero, al pagar esa deuda y dejar la coca, había recuperado su dignidad. Desde entonces, tal vez se había descuidado hasta el punto de que sólo las putas quisieran follar con él, y quizá fuera cierto que en su historial había más relaciones quemadas que pelos en cualquier cabeza, pero la dignidad la había conservado.

Y también tenía aquellos boletos que iba a rascar lentamente a lo largo de la noche, mientras Dottie veía «Supervivientes» o «El jefe» o el *reality* de turno programado para la velada.

Bajaba de la acera cuando un coche frenó delante de él.

Luego se detuvo.

La ventana del copiloto zumbó un poco al descender.

El conductor se inclinó hacia él y dijo:

—Hola.

Marv echó un vistazo al coche y después al tipo. El coche era un Jetta de 2011 o por ahí. La clase de vehículo que conducen los universitarios o los que acaban de salir de la universidad, pero aquel tipo pasaba de los cuarenta. Había algo memorablemente olvidable en él, una cara tan anodina que era imposible localizar los rasgos aunque flotasen ante tus ojos. A Marv le llegó un atisbo de los tonos tierra de aquel hombre: cabello castaño claro, ojos marrón claro, ropas marrón claro.

El tipo dijo:

—¿Para ir al hospital?

—Da la vuelta cuando puedas y retrocede entre tres y cinco kilómetros. Queda a la izquierda.

—¿A la izquierda?

—Sí.

—Mi izquierda.

—Tu izquierda.

—No la tuya.

—Los dos miramos en la misma dirección.

—¿Ah, sí?

—En general.

—Bien. —El tipo le sonrió. Tal vez fuera una sonrisa de agradecimiento, pero también podía ser algo más, algo estrambótico e indescifrable. No había manera de saberlo. Con los ojos fijos en Marv, giró el volante y ejecutó un cambio de dirección perfecto.

Marv lo vio alejarse e intentó hacer caso omiso del sudor que le bajaba por los muslos en un día en que la temperatura era de un grado bajo cero.

Bob se puso el abrigo, dispuesto a acudir al bar un día más. Fue a la cocina, donde *Rocco* mordía despiadadamente un palo de cuero. Le llenó el bebedero y buscó el pato amarillo que *Rocco* llevaba a todas partes. Lo dejó en un rincón de la jaula. Puso el bebedero en el otro rincón. Chasqueó los dedos suavemente.

—Ven, chico —dijo Bob—. Jaula.

Rocco corrió a la jaula y se acurrucó junto al pato amarillo. Bob le acarició la cara, luego cerró la puerta.

—Te veo por la noche.

Bob cruzó el vestíbulo hasta la puerta de la calle y la abrió.

El tipo que había en el porche era delgado. Pero la delgadez no lo hacía parecer débil, sino duro. Como si en su interior ardiese algo, a saber qué, a tal temperatura que la grasa no podía sobrevivir. Los ojos eran de un azul tan claro que casi parecían grises. Tenía el cabello lacio y rubio, como la perilla que se le agarraba a los labios y la barbilla. Bob lo reconoció de inmediato: el crío del parque que le había dicho que *Rocco* era un perro bonito.

Aunque al verlo de cerca ya no parecía un crío. Tendría unos treinta años.

El tipo sonrió y le tendió la mano.

—¿Señor Saginowski?

Bob se la estrechó.

—Sí.

—¿Bob Saginowski?

El hombre estrechó la manaza de Bob con una mano pequeña, pero puso mucha fuerza en el apretón.

—Sí.

—Eric Deeds, Bob. —El chaval le soltó la mano—. Creo que tienes a mi perro.

Bob se sintió como si lo hubiesen abofeteado con una bolsa de hielo.

—¿Qué?

Eric Deeds se rodeó el cuerpo con los brazos.

—Brrr... Hace frío aquí fuera, Bob. Demasiado para un hombre o para... ¿Dónde está, por cierto?

Hizo ademán de entrar. Bob le cerró el paso. Deeds evaluó a Bob y sonrió.

—Seguro que está ahí dentro. ¿Lo tienes en la cocina? ¿O abajo, en el sótano?

—¿De qué hablas? —dijo Bob.

—Del perro.

—Oye, el otro día en el parque te gustó mi perro, pero...

—No es tu perro.

—¿Qué? Es mío.

Eric negó con la cabeza como hacían las monjas cuando te pillaban mintiendo.

—¿Podemos hablar un momento? —Deeds levantó el índice—. Sólo será un momento.

En la cocina, Eric Deeds dijo:

—Vaya, aquí está; ése es mi perro. Ha crecido. Está más grande.

Bob abrió la jaula y le partió el corazón ver que *Rocco* se acercaba al desconocido con el rabo entre las piernas. Hasta se le subió a las rodillas cuando Eric, tan campante, se sentó a la mesa de la cocina y se dio unas palmaditas en el muslo. Bob ni sabía cómo había acabado aquel tipo dentro de su casa; era de los que tenían ese don, como los polis y los camioneros: si quería entrar, entraba.

—Bob, ¿conoces a una tal Nadia Dunn?

Eric acarició la barriga del perro. Bob sintió una punzada de envidia cuando *Rocco* empezó a mover complacido la pata izquierda, pese al temblor constante, casi convulso, que le recorría el pelaje.

—¿Nadia Dunn? —dijo Bob.

—Oh, vamos, tío. No es de esos nombres en plan conozco a tantas Nadias que me confundo.

Eric rascó al perro debajo de la barbilla. *Rocco* tenía las orejas y el rabo caídos. Parecía avergonzado, con la mirada baja, como si quisiera ver dentro de las propias cuencas.

—La conozco. —Bob levantó a *Rocco* de las rodillas de Eric, lo depositó en las suyas y le rascó detrás de las orejas—. Me ha ayudado a pasear a *Rocco* un par de veces.

Desde el momento en que Bob le quitó el cachorro de las rodillas sin avisar, el asunto quedó entre ellos dos. Eric lo miró un momento como diciendo: pero ¿qué coño pasa? Conservaba la sonrisa, pero ya no era amplia, ni tampoco feliz. Había arrugado el ceño y eso daba a sus ojos una expresión de sorpresa, como si encontrarse en aquella cara fuese lo último que esperaban. En ese momento parecía cruel; el típico tío que, cuando se sentía desgraciado, se cagaba en todo el mundo.

—*¿Rocco?*

Bob asintió mientras *Rocco* relajaba las orejas y le lamía la muñeca.

—Lo llamo así. ¿Cómo lo llamabas tú?

—Casi siempre, *Perro*. A veces, *Chucho*.

Eric Deeds paseó la vista por la cocina y luego miró hacia arriba, al viejo fluorescente circular de la época de la madre de Bob, joder, de cuando a su padre le dio por los paneles y se puso a revestir las paredes de la cocina, de la sala de estar, del comedor, habría revestido de madera el baño si llega a saber cómo hacerlo.

—Bob, tendrás que devolverme el perro.

Bob perdió momentáneamente la facultad de articular palabras.

—Es mío —dijo por fin.

Eric negó con la cabeza.

—Te lo he prestado. —Miró al perro que Bob sostenía en sus brazos—. El préstamo ha terminado.

—Le diste una paliza.

Eric metió una mano en el bolsillo de la camisa. Sacó un cigarrillo y se lo llevó a la boca. Lo encendió, apagó la cerilla y la arrojó a la mesa de la cocina.

—Aquí no se puede fumar.

Eric calibró a Bob con la mirada y siguió fumando.

—¿Le di una paliza?

—Sí.

—¿Y qué? —Eric tiró ceniza al suelo—. Me llevo el perro, Bob.

Bob se puso en pie cuan alto era. Sujetó con fuerza a *Rocco*, que se revolvió un poco y le mordisqueó la palma de la mano. Si no le quedaba otra, decidió Bob, se echaría con su metro noventa y sus ciento trece kilos encima de Eric Deeds, que no pesaba ni ochenta. No ahora, no si seguían ahí de pie, pero si Eric intentaba llevarse a *Rocco*, entonces...

Eric Deeds le sonrió.

—¿Te estás alterando con este asunto, Bob? Siéntate. En serio. —Eric se recostó en la silla y envió una columna de humo al techo—. Te he preguntado si conocías a Nadia porque yo la conozco. Vive en mi calle desde que éramos críos. Es lo curioso de los barrios; tal vez no conozcas a mucha gente, sobre todo si no es de tu edad, pero conoces a todos los de tu calle. —Observó a Bob, que volvía a sentarse—. Te vi esa noche. Me sentía mal por haber perdido los nervios, ¿sabes? Así que volví para ver si el chucho estaba muerto o no, y te vi sacarlo de la basura y subir al porche de Nadia. Ella te gusta mucho, ¿no, Bob?

—Creo que deberías irte.

—No me extraña. No es ninguna belleza, pero tampoco un schnauzer. Y no es que tú seas un bombón, ¿eh, Bob?

Bob sacó el móvil del bolsillo y lo abrió.

—Voy a llamar a emergencias.

—Adelante. ¿Lo has registrado y demás? El Ayuntamiento dice que tienes que registrar a tu perro y sacar la licencia. ¿Y el chip?

—¿Qué? —dijo Bob.

—El chip de seguridad. Se lo implantan a los perros. Si el chucho se pierde y aparece en el veterinario, éste le pasa un lector que le da el código de barras y toda la información del dueño. El dueño, por su parte, va por ahí con un papel que tiene el número de chip anotado. Como éste.

Eric sacó un papelito de la cartera y lo sostuvo en alto para que lo viese Bob. Tenía el código de barras y todo lo demás. Deeds volvió a guardárselo en la cartera.

—Ese perro que tienes es mío, Bob.

—Es mi perro.

Eric lo miró a los ojos y negó con la cabeza.

Bob cruzó la cocina con *Rocco* en brazos. Cuando abrió la jaula, sintió los ojos de Deeds en la espalda. Metió a *Rocco* en la jaula. Se enderezó. Se volvió hacia Eric y dijo:

—Ahora nos vamos.

—¿Ah, sí?

—Sí.

Eric se dio una palmada en los muslos y se levantó.

—Entonces, supongo que nos iremos, ¿no?

Él y Bob recorrieron el pasillo a oscuras y acabaron de nuevo en la entrada.

Eric vio un paraguas en el perchero que había a la derecha de la puerta. Lo cogió y miró a Bob. Subió y bajó varias veces el pasador por el eje del paraguas.

—Le diste una paliza —volvió a decir Bob, pues le parecía un detalle importante.

—Pero le contaré a la policía que fuiste tú.

Eric siguió deslizando el pasador y la tela ondeó un poco.

Bob dijo:

—¿Qué quieres?

Eric sonrió para sí. Tensó la cinta alrededor del paraguas y lo cerró bien. Abrió la puerta. Miró el día que hacía, después a Bob.

—Ahora hace sol, pero nunca se sabe —dijo.

Al bajar a la acera, Eric Deeds aspiró una bocanada de aire y se alejó calle arriba, con un cielo luminoso y el paraguas bajo el brazo.

8

REGLAS Y NORMAS

Eric Deeds había nacido y se había educado (por decirlo de algún modo) en East Buckingham, pero había estado fuera un tiempo —un tiempo muy duro— antes de volver, hacía poco más de un año, a la casa de su infancia. Esos años de ausencia los había pasado encerrado en Carolina del Sur.

Había ido allí para cometer un delito que no salió demasiado bien: el dueño de una casa de empeños acabó con hemorragia craneal y problemas de habla, un colega de Eric muerto de un disparo y con cara de idiota bajo la lluvia primaveral, y Eric y el otro colega condenados a tres años en el correccional de Broad River.

Eric no estaba hecho para las situaciones difíciles y cuando sólo llevaba tres días dentro lo sorprendió un motín en la cafetería; levantó las manos, asustado, y consiguió parar en pleno vuelo un cuchillo que atravesó su mano en vez de clavarse en la cabeza de un tipo llamado Padgett Webster.

Padgett era un camello muy respetado en Broad River. Se convirtió en el protector de Eric. Hasta cuando empujaba a Eric contra el colchón y le penetraba el culo con una polla tan larga y ancha como un pepino, Padgett le aseguraba que estaba en deuda con él. Que no lo olvidaría. Que fuese a verlo cuando lo soltaran y saldarían cuentas, le daría algo con lo que empezar después del trullo.

Padgett salió seis meses antes que Eric. Al quedarse solo, Eric tuvo tiempo para pensar, reflexionar sobre su vida y la espiral que lo había llevado hasta allí. El único colega que le quedaba en la cárcel —Vinny Campbell, también de Boston, los habían trincado juntos— añadió un año más a su condena por darle un martillazo en el codo a un recluso en el taller de carpintería. Lo hizo en nombre de los Arios, sus nuevos hermanos, que para agradecérselo lo engancharon a la heroína. Vinny ya apenas hablaba con Eric; se limitaba a vagar por ahí con su banda de cabezas rapadas y unas ojeras negras como el café.

En Broad River ellos eran los juguetes de piernas y brazos rotos, cables arrancados, descosidos por donde salía el relleno. Aunque los reparasen, ya no serían bien recibidos en la habitación infantil.

Para Eric, la única oportunidad de salir adelante era crear su propia tabla de las leyes. Leyes sólo para él. Y eso hizo una noche en su celda: una cuidada lista de nueve reglas. Las anotó en un papel, lo dobló y salió del correccional de Broad River con esa lista en el bolsillo de atrás, los pliegues desdibujados y apelmazados de tanto doblar y desdoblar.

El día después de salir de la cárcel, Eric robó un coche. Condujo hasta un Target de la autopista y mangó una camisa hawaiana dos tallas grande y un par de rollos de cinta de embalar. Guardó el poco dinero que tenía para comprarle un arma a un tipo cuyo nombre le habían facilitado en Broad River. Luego llamó a Padgett desde una cabina frente a un motel en Bremeth y quedó con él, mientras el calor arrancaba jirones blancos del negro alquitrán y goteaba de los árboles.

Pasó el resto del día sentado en su habitación, recordando lo que había dicho el loquero de la cárcel: que él no era malvado. Su cerebro no era malvado. Él ya lo sabía; había pasado mucho tiempo deambulando por sus pliegues rosados. Su cerebro sólo estaba confundido, herido y lleno de piezas defectuosas, como un desguace. Fotografías subexpuestas, una mesa de cristal grasienta, un fregadero embutido en diagonal entre dos paredes de hormigón, la vagina de su madre, dos sillas de plástico, un bar en penumbra, trapos sucios de color granate, un cuenco de cacahuetes, los labios de una mujer diciendo me gustas, de veras, un columpio blanco de plástico duro, una bola de béisbol desintegrándose en un cielo grisáceo, una reja de alcantarilla, una rata, dos chocolatinas Charleston Chew estrujadas en una manita sudorosa, una verja alta, un vestido de algodón ocre tirado en el respaldo de vinilo de un coche, una tarjeta con deseos de pronta mejoría firmada por toda la clase de sexto, un embarcadero de madera con el lago chapoteando por debajo, un par de zapatillas de deporte húmedas.

Cuando a medianoche subió por el camino trasero hasta la casa de Padgett, llevaba la lista en el bolsillo. Estaba oscuro y los árboles goteaban sobre el sendero de piedra con un repiqueteo suave y constante. Todo el estado goteaba. Todo era demasiado húmedo, en opinión de Eric. Reblandecido. Era medianoche y notaba que esa humedad le resbalaba por la nuca y dejaba manchas oscuras en su camisa, debajo de las axilas.

Cuánto quería salir de allí. Dejar atrás Broad River, los banianos, el olor asfixiante de los campos de tabaco y de los molinos textiles y a todos aquellos negros —negros por todos lados, hoscos y astutos y de movimientos engañosamente lentos—, dejar atrás el goteo constante del Sur del país.

Volver a los adoquines y al frío aire de las noches de otoño y a poder comprarse de una puta vez un bocadillo decente para llevar. A bares que no pusieran música country, a calles donde uno de cada tres vehículos no fuese una camioneta y a gente que no tuviese un acento tan empalagoso y lento que no entendías la mitad de lo que decían.

Eric iba a buscar un kilo de heroína negra. Para venderla en el norte y repartirse el dinero con Padgett en una proporción 60/40, el sesenta por ciento para Padgett y el cuarenta para Eric, pero seguía siendo un buen negocio, porque Eric no tenía que pagar parte del producto por adelantado. Padgett se lo cedía porque confiaba en él y así le devolvía el favor por lo que Eric había hecho con la mano.

Padgett abrió la puerta del porche cerrado con mosquitera y la casita crujió por un soplido de brisa que se agitó entre los árboles. Una bombilla verde alumbraba el porche, que olía a animal mojado. Eric vio un saco de carbón a la derecha de la puerta, junto a una pequeña barbacoa japonesa oxidada y una caja de cartón con botellas vacías de vino y whisky Early Times.

—¡Vaya aparición, chico! —dijo Padgett, dándole una palmadita en el hombro.

Padgett era delgado y fuerte, de músculos fibrosos. El cabello, encanecido en buena parte, parecía un yacimiento de carbón cubierto de nieve, y el calor y la brisa almizclada de las plataneras impregnaban el olor de su cuerpo.

—Una aparición blanca, además. Hacía mucho que no veía a uno de tu especie por aquí.

Para llegar hasta allí, Eric había tenido que seguir la calle principal que cruzaba un pueblo insignificante, doblar a la derecha después de las vías del tren y dejar atrás tres gasolineras, un bar y un 7-Eleven. Había recorrido cinco kilómetros de calles llenas de baches que se cruzaban con caminos de tierra, junglas de eucaliptos podridos desbordando entre casuchas abandonadas, la última cara blanca avistada a saber dónde, antes de las vías del tren, hacía mil años. Acaso una farola encendida cada cuatro manzanas de casas torcidas y oscuros campos yermos. Negros en porches destartalados, bebiendo botellones de cerveza barata y fumando cigarrillos de apariencia normal, pero rellenos de marihuana; coches oxidados amontonados en la exuberante hierba; mujeres de ébano y pómulos altos afanándose detrás de ventanas rotas y sin cortinas, con sus bebés agarrados a los hombros. Medianoche y todo letárgicamente despierto, esperando a que alguien apagara el calor.

—Cuánta humedad, tío —le dijo a Padgett al entrar en la casa.

—Sí, joder —respondió el viejo—, tenemos de sobra para ir tirando. ¿Cómo te ha ido, negro?

—Bien.

Cruzaron una salita abigarrada y fétida de tanto calor. Eric recordó cómo Padgett se le echaba encima cuando se apagaban las luces y le susurraba mi negrito blanco al oído, mientras lo agarraba del pelo.

—Ésta es Monica —dijo Padgett cuando entraron en la cocina.

Monica estaba sentada junto a una mesa arrinconada contra la ventana, toda rasgos saltones y articulaciones huesudas, ojos abiertos y mortecinos como un par de sumideros, la piel demasiado tirante para el hueso que cubría. Eric sabía, por sus charlas en la celda, que era la mujer de Padgett, madre de cuatro hijos que se habían largado tiempo atrás, y que justo a la derecha tenía una recortada del doce sujeta a unos ganchos atornillados a la cara inferior de la mesa.

Monica bebió un sorbo de su refresco de vino, saludó con una mueca y siguió hojeando la revista que tenía junto al codo.

Regla número uno, pensó Eric. Recuerda la regla número uno.

—Pasa de ella —dijo Padgett mientras abría la nevera—. Está de mala leche entre las once de la noche y el mediodía del día siguiente.

Le ofreció a Eric una lata de Milwaukee's Best del batallón que llenaba el estante superior de la nevera, sacó otra para él y cerró la puerta.

—Monica, éste es el tipo del que te he hablado, el colega que me salvó la vida. Enséñale la mano, tío.

Eric levantó la palma frente a la cara de Monica y le mostró el amasijo de cicatrices donde el cuchillo había entrado por un lado y salido por el otro. Monica asintió con un mínimo movimiento de cabeza y Eric bajó el brazo. No había recuperado la sensibilidad en esa zona, pero podía usar la mano con normalidad.

Monica volvió a su revista y pasó una página.

—Ya sé quién es, idiota. No has parado de hablar de ese sitio desde que te soltaron.

Padgett dedicó a Eric una sonrisa radiante.

—¿Cuánto llevas fuera?

—Un día.

Eric bebió un largo sorbo de cerveza.

Charlaron un rato sobre Broad River. Eric le contó algunas luchas por el poder que se había perdido, puro ruido en su mayoría, y le explicó que habían tenido que llevarse en ambulancia a un guardia porque había cometido un error al saquear el alijo de un preso y luego le había dado por pensar que la piel se le volvía violeta y se había roto varias uñas rascando una pared del patio. Padgett le sonsacó todos los chismorreos posibles y Eric recordó que el viejo siempre había sido un cotilla, que todas las mañanas se sentaba en los bancos de musculación con los presos más veteranos para cotorrear y darle al pico como si estuvieran en un programa de la tele.

Padgett tiró las latas vacías a la basura, sacó dos más y le dio una a Eric.

—Te dije que íbamos ochenta-veinte, ¿no?

Eric sintió que las malas vibraciones se instalaban en la habitación.

—Me dijiste sesenta-cuarenta.

Padgett se inclinó hacia él, abriendo mucho los ojos.

—¿Encima que te paso el material por adelantado? Me habrás salvado la vida, negro, pero joder...

—Sólo te recuerdo lo que me dijiste.

—Lo que crees que oíste —lo corrigió el viejo—. No, no. Será ochenta-veinte. Te largas de aquí con un kilo, ¿cómo sé si voy a volver a verte? Eso es mucho confiar, tío. Eso es confiar de la hostia.

—Y que lo digas —repuso Monica, los ojos en la revista.

—Sí. Ochenta-veinte. —Los ojos felices de Padgett se volvieron pequeños e infelices—. ¿Está claro?

—Claro —dijo Eric, sintiéndose blanco, sintiéndose pequeño—. Claro, Padgett, está bien.

Padgett le dedicó otra de sus sonrisas de cien vatios.

—Vale. Además, podría decir noventa-diez, ¿y qué ibas a hacer, eh, negro? ¿Me sigues?

Eric se encogió de hombros y bebió más cerveza, con la vista fija en el fregadero.

—He dicho: ¿me sigues?

Eric miró al viejo.

—Te sigo, Padgett.

Padgett asintió, brindó golpeando su lata contra la de Eric y bebió un trago.

Regla número dos, se recordó Eric. Nunca olvides ésa. Ni por un segundo en toda tu vida.

Un tipo flaco vestido con un albornoz de colores y calcetines marrones entró en la cocina sorbiendo por la nariz y apretándose un pañuelo de papel contra el labio inferior. Jeffrey, el hermano menor de Padgett, supuso

Eric. Padgett le había contado que Jeffrey había matado a cinco hombres, que él supiera, y que le había costado tan poco como darse un chapuzón. Le había dicho que si Jeffrey tenía alma, habría que mandar a un equipo de búsqueda para encontrarla.

Jeffrey tenía unos ojos de topo apagados que resbalaron por la cara de Eric.

—Hola, ¿cómo va?

—Todo bien. ¿Y tú? —dijo Eric.

—Bien.

Jeffrey se llevó el pañuelo a la nariz, sorbió con fuerza, abrió el armario de encima del fregadero y sacó un frasco de Robitussin. Quitó el tapón con un golpe de pulgar, echó la cabeza hacia atrás y se tragó la mitad del jarabe.

—En serio, ¿cómo estás?

Eso lo preguntó Monica sin despegar los ojos de la revista, pero era la primera vez que mostraba interés por alguien o algo desde que Eric había entrado en la casa.

—Mal —dijo Jeffrey—. El muy cabrón se me ha pegado y no me lo quito de encima.

—Tendrías que tomar sopa. Y cubrirte con una manta.

—Sí. Sí, es verdad.

Jeffrey tapó de nuevo el frasco de Robitussin y lo devolvió al estante.

—¿Has hablado con ese negro? —le preguntó Padgett a su hermano.

—¿Qué negro?

—El que siempre está frente al supermercado.

Reglas número tres y cinco, repitió Eric mentalmente, como un mantra. Tres y cinco.

—Sí. —Jeffrey sorbió y se secó la nariz con el pañuelo.

—¿Y?

—¿Y qué? El negro está siempre en el mismo sitio. No va a ninguna parte.

—No es él quien me preocupa. Son sus amigos.

—Amigos. —Jeffrey negó con la cabeza—. Los amigos de ese tío no son ningún problema.

—¿Cómo lo sabes?

Jeffrey tosió varias veces en el dorso de la mano, unos espasmos secos que le desgarraban el pecho como si alguien pretendiera agujerear un tapacubos con un cuchillo. Se enjugó los ojos y miró a Eric como si reparase en él por primera vez.

De pronto vio algo en su cara que no le gustó.

—¿Has cacheado al crío? —le dijo a Padgett.

Padgett le quitó importancia con un gesto de la mano.

—Vamos, hombre, no hay más que mirarlo. No quiere bronca.

Jeffrey escupió un cargamento de flemas en el fregadero.

—Estás jodido, viejo. No eres el que eras.

—Ya se lo decía yo —dijo Monica con un sonsonete cansado, y pasó otra página.

Jeffrey cruzó la cocina.

—Chico blanco, voy a cachearte, tío.

Eric dejó la cerveza en un rincón de la encimera y levantó los brazos.

—A ver si no te pego el resfriado. —Jeffrey se embutió el pañuelo de papel en el bolsillo del albornoz—. Tú tampoco lo quieres, al muy hijoputa. —Apretó el torso de Eric con las manos, luego la cintura, los testículos, la cara interna de los muslos y los tobillos—. Me va a estallar la cabeza y tengo la garganta como si un puto gato hubiese resbalado por ahí y se agarrase con las uñas para volver a subir.

Jeffrey dio un repaso rápido y confiado a la espalda de Eric y se sorbió los mocos.

—Vale, estás limpio. —Se volvió hacia Padgett—. ¿Tan difícil era, viejo?

Padgett lo miró con los párpados entornados.

Eric se rascó la nuca y se preguntó cuánta gente habría muerto en aquella casa. Se maravilló, como tantas veces en la cárcel, de lo aburridos y simples que podían ser los de la peor calaña. La luz de la lámpara que tenía encima de la cabeza penetró su cuero cabelludo y propagó el calor por todo su cerebro.

—¿Dónde está esa ginebra? —preguntó Jeffrey.

Padgett señaló una botella de Seagram's en el estante de encima del horno.

Jeffrey la bajó del estante y cogió un vaso.

—Te tengo dicho que la guardes en el congelador. Me gusta la priva fría, tío.

Padgett dijo:

—Será mejor que te largues a comprarte un chal. Estás hecho una vieja, Jeffrey.

La habitación osciló un poco mientras Eric se rascaba la nuca y metía los dedos por dentro de la camisa hasta detenerse entre los omóplatos. Tenía calor, le martilleaba la cabeza y notaba la boca seca. Como si no fuese a probar ni un trago más hasta el día de su muerte. Reparó en la lata de cerveza, que seguía donde la había dejado para que lo cacheara Jeffrey. Se planteó cogerla, pero decidió que no podía permitírselo.

—Viejo, todo lo que oigo, día sí y otro también, es esa boca tuya rajando sin parar. Rajando sin parar como yo qué sé, joder; pero rajando sin parar.

Padgett apuró su Milwaukee, estrujó la lata y abrió la nevera para coger otra.

Jeffrey dejó su vaso a un lado del fregadero, se volvió para mirar a Eric y dijo: «Tío, ¿qué...?» en un tono de abatida sorpresa al ver que Eric sacaba la mano de la espalda, desde dentro de la camisa, y mostraba un pequeño revólver del calibre veintidós, con un trozo de cinta adhesiva pegado todavía al cañón, con un hormigueo en la parte superior de la columna, de donde acababa de arrancar el arma. Le disparó justo debajo de la nuez y Jeffrey cayó resbalando por los armarios del fregadero.

Eric incrustó la siguiente bala en la pared, junto a la oreja de Monica, y mientras ella se agachaba para meter la mano debajo de la mesa, con la barbilla entre los muslos, le disparó en la coronilla. Se detuvo, quizá un segundo, fascinado por el pequeño agujero que apareció en el cráneo, más oscuro que cualquier otro agujero que hubiese visto, más incluso que el oscurísimo cabello de Monica. Y entonces se volvió.

El siguiente disparo fue para Padgett. El impacto le arrancó la cerveza de la mano y le hizo volverse y golpearse la cadera y parte de la cabeza contra la puerta del frigorífico.

El eco de los disparos retumbó en toda la habitación.

El arma temblaba un poco en la mano de Eric, pero no demasiado, y el martilleo de la cabeza remitía.

Padgett, sentado en el suelo, dijo:

—Capullo de mierda.

Su voz era aguda, afeminada. En el centro de la camiseta manchada de sudor había un agujero por el que la sangre borboteaba y se extendía.

Eric pensó: Acabo de disparar a tres personas. Joder, tío.

Recogió la lata de cerveza del suelo. La abrió y salpicó una pata de la mesa. La puso en la mano de Padgett y contempló la espuma que se le deslizaba por la muñeca y los dedos. La cara de Padgett había adquirido el mismo color de tiza que el cabello. Eric se sentó un momento en el suelo, mientras el cuerpo de Monica caía de la silla y se desplomaba en el linóleo.

Pasó una mano por el carbón nevado de la cabeza de Padgett. Pese a su estado, el viejo dio un pequeño respingo e intentó zafarse. Pero no podía ir a ningún lado, y Eric le pasó varias veces la palma por la cabeza antes de apartarse.

Padgett apoyó una mano en el suelo y trató de ponerse en pie. La mano cedió y Padgett volvió a sentarse. Probó una vez más, extendiendo un brazo a ciegas hacia una silla, y al final consiguió apoyar parte de la mano en el asiento y presionar para incorporarse con la lengua fuera y colgando sobre el labio inferior. Ya estaba casi de pie, las rodillas dobladas y temblorosas, cuando la silla resbaló y Padgett cayó de nuevo al suelo, esta vez con un golpe mucho más fuerte. Se quedó allí sentado con la respiración agitada, la boca fruncida, la mirada fija en el regazo.

—¿Qué te hizo pensar que podías pasarte conmigo? —le preguntó Eric, y sintió sus propios labios como si fueran de goma.

El viejo siguió boqueando, los ojos como platos, la boca abierta. Intentaba hablar, pero tan sólo le salía Uh, uh, uh.

Eric se echó hacia atrás para apuntar. Padgett se quedó mirando el cañón con ojos de animal acorralado. Eric le dejó mirar un buen rato. Padgett apretó los párpados para no ver la bala que sabía que vendría.

Eric esperó.

Cuando Padgett abrió los ojos, le disparó en la cara.

—Regla número siete. —Eric se levantó—. En marcha, en marcha.

Pasó por debajo de la escalera, entró en el dormitorio de atrás y abrió el armario. Dentro había una caja fuerte de un metro de alto por medio de ancho. Eric sabía, por las muchas charlas nocturnas que había mantenido con Padgett en la celda, que sólo contenía listines de teléfono. Ni siquiera estaba atornillada al suelo. La sacó, jadeando por el esfuerzo, arrastrándola de lado, hasta despejar el espacio y apartarla a la izquierda. Examinó los tablones del suelo, llenos de arañazos y agujeros. Levantó un listón, que cedió fácilmente. Lo arrojó a su espalda, levantó cuatro más y miró el alijo: paquetes y paquetes de heroína negra, embalada en prietas bolsas. Sacó los paquetes uno a uno y fue dejándolos en la cama hasta vaciar el escondrijo. Había catorce.

Buscó una maleta o una bolsa de deporte, pero no encontró nada y volvió a la cocina. Tuvo que sortear las piernas de Padgett y la cabeza de Monica para abrir el armario de debajo del fregadero. Encontró una caja con bolsas de basura justo mientras caía en la cuenta de que había dejado a Jeffrey apoyado en esas mismas puertas, Jeffrey en albornoz y calcetines marrones, con una puta bala en la garganta.

Vio salpicaduras y gotas de sangre en los cajones de su izquierda y luego más en el suelo, en la puerta y en el quicio que daba al vestíbulo. Siguió el curso trazado por aquellas salpicaduras con forma de gordas mariposas rojas, convencido de que encontraría a Jeffrey allí boca abajo, agonizante o muerto.

Pero no estaba allí. Las mariposas de sangre se dirigían a la escalera y desaparecían en la penumbra de los estrechos peldaños hundidos y la alfombra desvaída y andrajosa. En el piso de arriba, una bombilla desnuda colgaba del techo bajo.

Allí plantado, percibió unos jadeos entrecortados. Sonaban a la derecha de la bombilla, en una de las habitaciones de arriba. Oyó que se abría un cajón.

Contuvo el pánico. Regla número siete, regla número siete. No pienses, actúa. Retrocedió rápidamente al porche y cogió el saco de carbón que había visto allí. Se encendía con cerillas, no hacía falta líquido inflamable. Hoy en día pensaban en todo.

De nuevo en el vestíbulo, asomó lentamente la cabeza por el hueco de la escalera con el oído atento al jadeo de aquella garganta abierta. Una vez seguro de que Jeffrey no esperaba en los negros peldaños ni en lo alto de la escalera, Eric volvió al primer escalón y soltó el saco.

Tardó unos treinta segundos en vaciarlo y accionar con el pulgar la rueda de su encendedor Bic. De inmediato empezó a bailar el fuego. Alguien llevaba años derramando toneladas de licor en la alfombra, porque las llamas prendieron en los bordes desvaídos y treparon por la escalera como balizas de una pista de aterrizaje. Al notar que el monóxido de carbono se le subía a la cabeza, Eric retrocedió. El humo era negro y despedía un demencial olor a queroseno. Se apartaba de las llamas cuando una bala dejó una muesca en el suelo, a sus pies. Otra le pasó silbando junto a la cabeza y se incrustó en la puerta que daba al porche.

Eric apuntó a la cortina de fuego y disparó a la oscuridad. Le respondió un fogonazo, luego varios más; las balas dieron en las paredes, las esquirlas le penetraron en el cabello.

Se agazapó junto a una pared. Notó que una llama le lamía la oreja y se dio cuenta de que tenía un hombro en llamas. Pudo sofocarlo a manotazos, pero la pared ya había arrancado a arder. La pared, la escalera, el dormitorio del otro lado. Mierda. La heroína estaba en esa habitación, esperando en la cama.

Ahora ardía todo el vestíbulo, las negras nubes de humo aceitoso le arañaban los ojos y los pulmones. Le disparó a Jeffrey mientras éste saltaba la barandilla y caía entre las llamas con una inútil nueve milímetros en la mano. Volvió a dispararle cuando aterrizaba en el vestíbulo; Jeffrey se tambaleó hacia atrás y cayó al fuego, con el albornoz en llamas y una mano en el cuello abierto.

Eric intentó rodear el fuego, pero era inútil. Se había propagado por todas partes y, allá donde no llegaba, todo estaba negro de humo.

Imbécil, pensó. Eric, eres imbécil. Imbécil, imbécil, imbécil.

Pero no tanto como los tres gilipollas muertos que dejaba atrás.

Salió y recorrió de vuelta el sendero de piedra, donde los árboles seguían goteando su tictac; subió al coche y se alejó por la pista. Dobló por otro camino de alquitrán resquebrajado y se preguntó cómo podía vivir la gente en una mierda de barrio como aquél. Buscaos un trabajo, pensó. Dejad el crack. Sin un poco de dignidad no valéis más que los monos. Unos putos monos en una jaula de mierda.

Aunque su plan hubiese salido bien y se hubiera largado de allí con varios kilos de heroína negra, nada le garantizaba que pudiese venderla. ¿A quién? En Boston no conocía a nadie que traficara con esas cantidades y, aunque le presentaran a ese tipo de gente, seguramente lo timarían. Ya puestos, seguramente lo matarían para que no pudiera vengarse.

De modo que tal vez fuera mejor así, aunque ahora volvía a casa de vacío, sin medios para sacarse algo de dinero. Tampoco era imposible ganarlo, siempre que mantuviese los ojos abiertos y el oído atento. Si algo tenía de bueno el miserable East Buckingham era que en ese barrio, un día cualquiera, entraba y salía tanto dinero sucio —mucho más del que sumaban los ingresos legales— que un hombre listo sólo tenía que ser paciente.

Sacó su lista de reglas, la desdobló con una mano y se la apoyó en el muslo para leer mientras conducía. El coche estaba a oscuras, pero se las sabía de memoria; en realidad ni tenía que leerlas, pero le gustaba lo que representaban ahí, en su pierna. Con su caligrafía, las letras trazadas con sumo cuidado:

1. Nunca te fíes de un recluso.
2. Nadie te quiere.
3. Dispara primero.
4. Cepíllate los dientes tres veces al día.
5. Ellos te lo harían a ti.

6. *Que te paguen, joder.*

7. *Trabaja rápido.*

8. *Asegúrate de parecer razonable.*

9. *Píllate un perro.*

Dobló a la izquierda en las vías del tren y al ver las luces del 7-Eleven pensó que el trayecto de ida siempre parecía el doble que el de vuelta, y que era raro que siempre pasara igual, y luego pensó: Nadia.

Me pregunto qué estará haciendo últimamente.

9

QUEDARSE

No habían visto a Rardy desde el atraco. Le habían dado el alta al día siguiente del ingreso, eso lo sabían, pero luego se había esfumado. Lo comentaron una mañana en el bar vacío, con la mitad de las sillas todavía del revés sobre las mesas y la barra.

—No es típico de él —dijo el primo Marv.

Bob tenía delante el periódico abierto. Era oficial: la archidiócesis había anunciado la clausura de la iglesia de Saint Dominic en East Buckingham, una clausura que el cardenal calificaba de inminente.

—Ya se ha escaqueado alguna otra vez —dijo Bob.

—Nunca tantos días seguidos, y menos sin llamar.

En el periódico había dos fotografías de la iglesia, una reciente y la otra de cien años antes. El mismo cielo arriba. Pero nadie que hubiese estado bajo el primer cielo seguía vivo en el segundo. Y tal vez se alegraran de no haber tenido que quedarse en un mundo tan distinto del que habían conocido. Cuando Bob era niño, tu parroquia era tu patria. Contenía todo lo que necesitabas y todo lo que necesitabas saber. Ahora que la archidiócesis había cerrado la mitad de las parroquias para pagar los delitos de los curas pederastas, a Bob no se le escapaba que aquellos días de dominio parroquial, tras un largo declive, habían llegado a su fin. Él era un determinado tipo de hombre, de una determinada semigeneración, de casi una generación; y aunque aún quedaban muchos como él, eran más viejos, más grises, tenían tos de fumador, entraban para hacerse un chequeo y ya no volvían a salir.

—No sé —decía Marv—, este asunto de Rardy me tiene mosqueado, lo reconozco. Hay unos tíos que me siguen y...

—No te sigue nadie —dijo Bob.

—¿No te conté lo del tío del coche?

—Te pidió que le indicaras el camino.

—Pero fue cómo lo hizo, su manera de mirarme. ¿Y qué me dices del tipo del paraguas?

—Ése es por el perro.

—El perro. ¿Cómo lo sabes?

Bob se quedó mirando la zona en penumbra del bar y sintió la muerte a su alrededor, un efecto secundario, supuso, del atraco y del pobre hombre de la furgoneta. Las sombras se convirtieron en camas de hospital, en viejos encorvados que compraban tarjetas de pésame, en sillas de ruedas vacías.

—Rardy sólo está enfermo —dijo por fin—. Ya aparecerá.

Pero un par de horas después, mientras Marv atendía en el bar a los acérrimos bebedores diurnos, Bob fue a casa de Rardy, un segundo piso embutido entre otros dos en un destartalado edificio de tres plantas, en Perceval.

Bob se sentó en la sala de estar con Moira, la mujer de Rardy. Moira había sido muy guapa, pero la vida con Rardy y con un crío que tenía algún tipo de trastorno del aprendizaje le había absorbido la belleza como azúcar por una pajita.

—Llevo días sin verlo —dijo Moira.
—Días, ¿eh?
Moira asintió.
—Bebe más de lo que parece.
Bob se incorporó en la silla, sorprendido.
—Lo sé, ¿vale? Lo esconde muy bien, pero va tomando tragos, para mantenerse, desde que se levanta por la mañana.
—Bueno, a veces lo he visto beber algo —dijo Bob.
—¿Esas botellitas que dan en el avión? Se las guarda en el abrigo. Conque, no sé, puede que esté con sus hermanos o con sus viejos amigos de Tuttle Park.
—¿Cuándo fue la última vez? —preguntó Bob.
—¿Que lo vi? Hará un par de días. Pero el muy capullo me lo ha hecho otras veces.
—¿Has intentado llamarle?
Moira suspiró.
—No responde al móvil.
El niño apareció en el umbral, todavía en pijama a las tres de la tarde. Patrick Dugan, nueve o diez años, Bob no se acordaba. Dirigió una mirada vacía a Bob, aunque se habían visto cientos de veces, y luego miró a su madre, inquieto, agitando los hombros.
—Lo has dicho —le dijo Patrick a su madre—. Necesito que me ayudes.
—Vale. Deja que termine de hablar con Bob.
—Lo has dicho, lo has dicho, lo has dicho. Necesito que me ayudes. Lo necesito.
—Cariño... —Moira cerró los ojos un instante, luego volvió a abrirlos—. Te he dicho que te ayudaría y voy a hacerlo. Sólo enséñame, como hemos hablado, que puedes trabajar tú solo un ratito más.
—Pero lo has dicho. —Patrick saltó de un pie a otro—. Lo has dicho.
—Patrick. —Ahora la tensa voz de Moira encerraba una advertencia.

Patrick soltó un aullido, con una combinación desagradable de furia y miedo en la cara. Era un sonido primario, un sonido zoológico, un lamento a los dioses limitados. Su cara adquirió el rojo de una quemadura solar y se le hincharon los tendones del cuello. El aullido se expandió y siguió sin fin. Bob miró al suelo, miró por la ventana, intentó actuar con naturalidad. Moira sólo parecía cansada.

Luego el niño cerró la boca y se marchó corriendo.

Moira desenvolvió un chicle y se lo metió en la boca. Ofreció el paquete a Bob, que se lo agradeció mientras cogía uno, y se quedaron sentados en silencio, mascando.

Moira señaló con el pulgar el umbral donde había estado su hijo.

—Rardy te diría que ésa es la razón por la que bebe. Nos dijeron que Patrick tenía... ¿DTHA? Y/o TDA. Y/o trastorno cognitivo no sé qué. Mi madre dice que es sólo un gilipollas. No sé. Es mi hijo.

—Claro —dijo Bob.

—¿Estás bien?

—¿Yo? —Bob se recostó un poco—. Sí, ¿por qué?

—Te veo distinto.

—¿Cómo?

Moira se encogió de hombros mientras se levantaba.

—No lo sé. Estás más alto, o algo así. Si ves a Rardy, dile que hay que comprar limpiacristales y detergente.

Moira se fue con su hijo. Nadie acompañó a Bob hasta la puerta.

Nadia y Bob estaban sentados en los columpios vacíos de Pen Park. *Rocco* se había echado en la arena, a sus pies, con una pelota de tenis en la boca. Bob miró de reojo la cicatriz que Nadia tenía en el cuello y ella lo sorprendió cuando apartaba la vista.

—Nunca me has preguntado. Eres la única persona que he conocido y no me lo ha preguntado a los cinco minutos.

—No es asunto mío. Es cosa tuya.

—¿De dónde sales?

Bob miró alrededor.

—De aquí.

—No, quiero decir: ¿de qué planeta?

Bob sonrió. Por fin comprendía a qué se refería la gente cuando decía que estaba encantada. Así era como Nadia lo hacía sentir, tanto cuando estaba lejos y pensaba en ella como ahora, sentados tan cerca que podían tocarse (aunque nunca lo habían hecho): encantado.

—Antes, cuando la gente usaba el teléfono en público, se metía en una cabina y cerraba la puerta. O hablaba lo más bajo posible. Ahora la gente cuenta cómo hace sus necesidades mientras está en plena faena en el lavabo público. No lo entiendo.

Nadia se echó a reír.

—¿Qué? —preguntó Bob.

—Nada. No. —Nadia levantó una mano a modo de disculpa—. Es que nunca te había visto alterado. No estoy segura de comprenderlo. ¿Qué tiene que ver mi cicatriz con una cabina de teléfono?

—Ya nadie respeta la intimidad de los demás. Todo el mundo quiere contarte todos los putos detalles de su vida. Perdona, lo siento. No tendría que haber dicho esa palabra. Eres una dama.

—Sigue —ordenó ella, con una sonrisa aún más amplia.

Bob se llevó una mano a la oreja y sólo se dio cuenta cuando ya lo había hecho. La bajó.

—Todo el mundo quiere contarte su vida, cualquier cosa, lo que sea, y no paran, nunca paran de hablar. Pero cuando llega el momento de demostrarte cómo son... Son débiles, Nadia. Les falta algo. Y lo disimulan hablando más y más, justificando lo que no se puede justificar. Y luego se ponen a soltar más tonterías de los demás. ¿Me entiendes?

La gran sonrisa de Nadia se había transformado en otra más pequeña, curiosa e indescifrable a un tiempo.

—No estoy segura.

Bob se sorprendió pasándose la lengua por el labio superior, una antigua muestra de nerviosismo. Quería que ella lo comprendiese. Necesitaba que lo comprendiese. No recordaba haber deseado nada con tanta fuerza.

—¿Tu cicatriz? Es tuya. Ya me lo contarás cuando quieras. O no. Da lo mismo.

Bob perdió la mirada en el canal. Nadia le dio una palmada en la mano y también miró hacia el canal, y así se quedaron un rato.

Antes de ir a trabajar, Bob se pasó por Saint Dominic, se sentó en un banco vacío del templo vacío y contempló todo lo que lo rodeaba.

El padre Regan llegó al altar desde la sacristía, vestido casi por completo con ropa de calle, aunque los pantalones eran negros. Miró un momento a Bob, que seguía allí sentado.

—¿Es verdad? —preguntó Bob.

El sacerdote bajó al pasillo y se sentó en el banco que Bob tenía delante. Se volvió y apoyó el brazo en el respaldo.

—La diócesis cree que puede cumplir mejor sus labores pastorales si nos unimos con Saint Cecilia, sí.

—Pero quieren vender esta iglesia. —Y Bob señaló hacia abajo, al banco en el que estaba sentado.

—Este edificio y la escuela se venderán, sí.

Bob alzó la vista a los techos altísimos. Los contemplaba desde los tres años. Nunca había conocido el techo de ninguna otra iglesia. Se suponía que iba a ser así hasta el día de su muerte. Así había sido para su padre, así había sido para el padre de su padre. Se suponía que algunas cosas —unas pocas, excepcionales— debían permanecer siempre igual.

—¿Y usted?

—Todavía no me han reasignado.

—¿Protegen a los que abusaron de niños y a los cabronazos que los encubrieron, y no saben qué hacer con usted? Joder, qué listos.

El padre Regan lo miró como si no estuviera seguro de conocer a ese Bob. Y tal vez fuera así.

—¿Todo lo demás va bien? —preguntó el sacerdote.

—Sí. —Bob observó los cruceros. No era la primera vez que se preguntaba cómo se las habrían arreglado allá por 1878, o por 1078, qué más daba, para construirlos—. Sí, sí, sí.

—Tengo entendido que te has hecho amigo de Nadia Dunn.

Bob se quedó mirándolo.

—Tuvo algunos problemas en el pasado. —El padre Regan dio unas palmaditas a la parte superior del banco. Las palmaditas se convirtieron en una caricia abstraída—. Algunos dirían que el problema es ella.

La silenciosa iglesia se cernió sobre ellos, palpitando como un tercer corazón.

—¿Usted tiene amigos? —preguntó Bob.

—Claro —respondió el padre Regan, arqueando las cejas.

—No me refiero a otros sacerdotes, sino más bien a colegas. Gente con la que puede, no sé, estar.

El padre Regan asintió.

—Sí, Bob.

—Yo no tengo. Es decir, no tenía.

Bob miró la iglesia un poco más. Sonrió al padre Regan. Dijo que Dios le bendiga y se levantó del banco.

—Que Dios te bendiga —contestó el padre Regan.

Bob se detuvo en la pila de agua bendita. Se santiguó. Se quedó ahí con la cabeza baja. A continuación se santiguó por segunda vez y salió por las puertas centrales.

10

EL QUE SEA SANTO

El primo Marv estaba en la puerta que daba al callejón, fumando, mientras Bob recogía los cubos vacíos de la noche anterior. Como siempre, los basureros habían dejado los cubos tirados por el callejón de cualquier manera y Bob tenía que ir de un lado a otro para recogerlos.

—Sería pedirles demasiado que los dejen donde los encuentran. Eso requiere cortesía —dijo Marv.

Bob apiló dos cubos y los acercó a la pared de atrás. Entonces, arrinconada entre los cubos y una ratonera, vio una bolsa negra de plástico grueso, como las que usan en las obras. Él no la había dejado allí. Y conocía bastante bien los dos negocios vecinos —Uñas Saigón y Doctor Sanjeev K. Seth— para saber qué aspecto tenía su basura, y ésa no era de ellos. Dejó la bolsa donde estaba y fue al callejón a buscar el último cubo.

—Si pagaras por un contenedor de los grandes... —dijo Bob.

—¿Por qué voy a pagar por un contenedor? El bar ya no es mío, ¿recuerdas? «Paga por un contenedor.» Cómo se nota que no es tu bar el que se ha quedado Chovka.

—Eso pasó hace diez años.

—Ocho y medio.

Bob arrastró el último cubo hasta la pared. Se acercó a la bolsa de escombros. Era de las de ciento setenta litros, pero no estaba llena, ni mucho menos. Lo que contenía no era demasiado grande, pero la bolsa se abultaba por los dos lados, de modo que debía de tratarse de algo que medía entre treinta centímetros y medio metro. La longitud de una tubería, quizá, o de esos tubos de cartón donde se guardan los pósteres.

—Dottie cree que tendríamos que visitar Europa. En eso me he convertido, en un tipo que se va a Europa con su hermana y viaja en autocares de turistas con una cámara colgada al cuello.

Bob observó la bolsa. Estaba cerrada con un nudo, pero tan flojo que bastaba tirar un poco para que se abriese como una rosa.

—En otros tiempos, si quería viajar me iba con Brenda Mulligan o Cheryl Hodge, o... o... ¿Te acuerdas de Jillian? —dijo el primo Marv.

Bob se acercó más a la bolsa. Estaba tan cerca ya que sólo podía acercarse más si se metía dentro.

—Jillian Waingrove —dijo—. Era bonita.

—Estaba buenísima, joder. Salimos todo un verano. Solíamos ir a ese bar con terraza de Marina Bay, ¿cómo se llamaba?

Bob se oyó decir The Tent mientras abría la bolsa y miraba dentro. Los pulmones se le llenaron de plomo y la cabeza se le llenó de helio. Apartó la vista de la bolsa y todo el callejón se inclinó a la derecha.

—The Tent, sí, sí. ¿Todavía existe?

—Sí —se oyó decir Bob; su voz le llegó a los oídos como por un túnel—, pero ahora tiene otro nombre.

Se volvió hacia Marv, para que éste lo viera en sus ojos.

El primo Marv tiró la colilla al callejón.

—¿Qué?

Bob se quedó donde estaba, con la mano en el borde de la bolsa, de cuyo interior emanaba un hedor a descomposición, como cuando se dejan al sol unos trozos de pollo crudo.

—Tienes que... —dijo Bob.

—No, no tengo —dijo el primo Marv.

—¿Qué?

—No tengo que hacer nada, ¿vale? Me quedaré aquí, joder. Me quedaré aquí porque...

—Tienes que ver...

—¡No tengo que ver nada! ¿Me oyes? No tengo que ver Europa ni la puta Tailandia ni lo que sea que haya en esa puta bolsa. Yo me quedo aquí.

—Marv.

Marv negó violentamente con la cabeza, como haría un niño.

Bob esperó.

El primo Marv se frotó los ojos, de pronto avergonzado.

—Antes éramos una banda. ¿Te acuerdas? La gente nos temía.

—Sí —dijo Bob.

Marv encendió otro pitillo. Se acercó a la bolsa como quien se acerca a un mapache aturdido en un rincón de su sótano.

Se detuvo al lado de Bob. Miró dentro de la bolsa.

Había un brazo cortado justo por debajo del codo sobre un montoncito de dinero ensangrentado. El brazo lucía un reloj parado a las seis y cuarto.

El primo Marv soltó aire despacio y siguió hasta que ya no le quedó más en los pulmones.

—Bueno, eso es... O sea... —dijo el primo Marv.

—Lo sé.

—Es...

—Lo sé —dijo Bob.

—Es obsceno.

Bob asintió.

—Tenemos que hacer algo.

—¿Con el dinero? ¿O el...?

—Seguro que el dinero es la cantidad justa que perdimos esa noche —dijo Bob.

—Entonces...

—Entonces les devolveremos el dinero. Es lo que esperan.

—¿Y eso? —Marv señaló el brazo—. ¿Eso?

—No podemos dejarlo aquí. Se nos echaría encima ese poli.

—Pero no hemos hecho nada.

—Esta vez no. Pero ¿qué crees que pensarán Chovka o papá Umarov si los polis se interesan por nosotros más de la cuenta?

—Sí. Claro, claro.

—Necesito que te centres, Marv.

Marv se sorprendió al oírlo.

—¿Tú necesitas que yo me centre?

—Sí, eso es —dijo Bob, y se llevó la bolsa dentro.

En la diminuta cocina, junto a la parrilla de cuatro quemadores y la freidora, había una encimera donde preparaban los sándwiches. Bob extendió papel encerado sobre el tablero. Cortó un trozo de plástico del rollo que había sobre la encimera. Levantó el brazo del fregadero, donde lo había enjuagado, y lo envolvió con el plástico bien tirante. Luego lo colocó sobre el papel encerado.

Marv miraba desde la puerta con una expresión asqueada y afligida.

—Ni que lo hubieras hecho mil veces —le dijo a Bob.

Bob lo fulminó con la mirada. El primo Marv parpadeó y miró al suelo.

—¿Te planteas que si no hubieses mencionado el reloj, a lo mejor...?

—No —respondió Bob en un tono algo más brusco de lo que pretendía—. No me lo planteo.

—Pues yo sí.

Bob pegó con celo los extremos del papel encerado, de modo que el brazo bien podía pasar por un taco de billar caro o un bocadillo de dos palmos. Después lo metió en una bolsa de deporte.

Él y Marv pasaron de la cocina al bar y se encontraron con Eric Deeds allí sentado, las manos cruzadas sobre la barra, como un tipo cualquiera que espera su copa.

Siguieron avanzando.

—Está cerrado —dijo el primo Marv.

—¿Tenéis Zima?

—¿Y a quién le serviríamos ese whisky? ¿A las señoritas?

Bob y Marv dieron la vuelta a la barra y se quedaron mirando a Deeds.

Eric se levantó.

—Como la puerta no estaba cerrada, he pensado...

Marv y Bob intercambiaron una mirada.

—Sin ánimo de ofender, pero largo de aquí, joder —dijo el primo Marv.

—¿Seguro que no hay Zima? —Eric se dirigió a la puerta—. Me alegro de verte, Bob. Dale recuerdos a Nadia, hermano.

Eric salió. Marv corrió a la puerta y echó el cerrojo.

—Aquí, pasándonos como una pelotita lo que le falta al manco, y resulta que la puta puerta está abierta.

—Bueno, no ha pasado nada —dijo Bob.

—Pero podría haber pasado. ¿Conoces a ese chico?

—Es el tipo del que te he hablado.

—¿El que dice que el perro es suyo?

—Sí.

—Ése está jodido de la cabeza.

—¿Lo conoces?

El primo Marv asintió.

—De la calle Mayhew, parroquia de Saint Cecilia. Tú eres de la vieja escuela, si alguien no vive en tu parroquia bien podría ser del puto Flandes. Ese crío es un tarado. Ha estado un par de veces en el talego y pasó un mes en el manicomio, por lo que recuerdo. Que es donde tendrían que haber metido a toda la familia Deeds, desde hace una generación. —El primo Marv añadió—: He oído decir por ahí que se cargó a Días de Gloria.

—Ya, yo también lo he oído.

—Que lo esfumó del planeta Tierra. Eso es lo que dicen.

—Bueno... —dijo Bob, y sin nada más que añadir, cogió la bolsa de deporte y se marchó.

Cuando Bob ya no estaba, Marv metió los billetes ensangrentados en el fregadero del bar. Le dio al botón del dispensador de soda y regó el dinero con la pistola de refrescos.

Se detuvo. Miró la sangre que salía.

—Animales —susurró, cerrando los ojos para no ver toda aquella sangre—. Putos salvajes.

En Pen Park, Bob arrojó un palo y *Rocco* corrió tras él sendero abajo. Lo recuperó, lo soltó delante de Bob y éste volvió a lanzárselo con todas sus fuerzas. Mientras *Rocco* corría por el sendero, Bob metió la mano en la bolsa de deporte y sacó el brazo empaquetado. Se volvió hacia el canal y lo arrojó como si fuera un tomahawk. Lo observó elevarse en un arco y dar más y más vueltas antes de alcanzar su cénit en el cielo y caer rápidamente. Se zambulló en el centro del canal, salpicando mucho más de lo que Bob esperaba. También hizo mucho más ruido. Tanto que temió que parasen todos los coches que pasaban por la otra orilla. Pero ninguno se detuvo.

Rocco regresó con el palo.

—Muy bien —dijo Bob.

Volvió a arrojarle el palo, que rebotó en el asfalto y luego se salió del sendero. *Rocco* corrió saltando por el parque.

Bob oyó unos neumáticos a su espalda. Se volvió, esperando ver una camioneta de la guardia forestal, pero quien se acercaba era el inspector Torres. Bob no sabía si había visto algo. Torres se detuvo, salió del coche y se dirigió hacia él.

—Hola, señor Saginowski. —Torres echó un vistazo a la bolsa vacía que había a los pies de Bob—. Todavía no los hemos atrapado.

Bob se quedó mirándolo.

—A los tipos que atracaron vuestro bar.

—Ah, sí.

Torres se echó a reír.

—Te acuerdas, ¿verdad?

—Claro.

—¿O te han atracado tantas veces que te confundes?

—No —dijo Bob—. Me acuerdo.

—Bien. Pues, como decía, no los hemos encontrado.

—Lo suponía.

—¿Suponías que no hacemos nuestro trabajo?

—No. Siempre he oído decir que los atracos son difíciles de solucionar.

—Entonces me gano la vida haciendo algo inútil, eso es lo que dices.

Como en esa conversación era imposible ganar, Bob cerró el pico.

Al cabo de un rato, Torres dijo:

—¿Y esa bolsa?

—La uso para guardar correas, pelotas, bolsitas para la caca y demás.

—Está vacía.

—He usado la última bolsita y he perdido una pelota.

Rocco se acercó trotando y soltó el palo. Bob se lo arrojó y el perro volvió a correr.

—Richie Whelan —dijo Torres.

—¿Qué pasa con él?

—¿Lo recuerdas?

—Sus amigos estaban en el bar la otra noche, brindando por el aniversario.

—¿Qué aniversario?

—La última vez que alguien lo vio.

—Que fue en vuestro bar.

—Sí, de allí salió. Para pillar algo de maría, según se cuenta.

Torres asintió.

—¿Conoces a un tal Eric Deeds? ¿Un tipo rubio?

—No lo sé. Puede, pero no me suena.

—Al parecer, tuvo unas palabras con Whelan ese mismo día, un poco antes.

Bob le dedicó una sonrisa de impotencia y se encogió de hombros.

Torres asintió y dio una patada a un guijarro con la punta del zapato.

—El que sea santo, que se acerque.

—¿Qué?

—Es la postura de la Iglesia sobre quién puede recibir la comunión. Si estás en estado de gracia, tómala. Si no, arrepiéntete y luego la tomas. En cambio, tú sigues sin recibir el sacramento. ¿Se le ha olvidado arrepentirse de algo, señor Saginowski?

Bob no respondió. Volvió a arrojar el palo a *Rocco*.

—Verás, yo la jodo casi a diario. Es un duro camino, el mío. Pero, cuando acaba el día, me confieso. Es mejor que la psicoterapia o que Alcohólicos Anónimos. Me sincero con Dios y a la mañana siguiente lo recibo en la Santa Comunión. ¿Tú, en cambio? Nada.

Rocco devolvió el palo y esta vez fue Torres quien lo recogió. Lo retuvo un buen rato en la mano, hasta que *Rocco* empezó a gemir. Era un sonido agudo que Bob nunca había oído antes, pero tampoco tenía por costumbre poner a prueba a su perro. Cuando estaba a punto de arrebatarle el palo a Torres, el policía echó el brazo hacia atrás y lo arrojó al aire. *Rocco* corrió tras él.

—Penitencia sincera, señor Saginowski. Deberías reflexionar al respecto. Bonito perro.

Se alejó.

11

TODOS MORIMOS

En cuanto se fue Torres, Bob paseó un poco más por el parque, pero apenas se acordaba de nada cuando él y *Rocco* volvieron al coche. Estaba tan aturdido que se veía incapaz de conducir, por lo que se quedó junto al coche con su perro y contempló el duro cielo invernal, el sol atrapado tras un muro gris, espeso como la felpa. Si al cabo de unos meses el brazo aparecía flotando por aquellas orillas, ¿Torres ataría cabos? ¿Iría entonces por Bob?

Ya va por ti.

Bob respiró hondo, contuvo el aire y luego exhaló. Esta vez no se mareó ni le reventó el aire en las narices.

Se dijo que todo saldría bien. Sí.

Entró en el coche, se miró en el retrovisor y dijo:

—Todo irá bien.

No es que lo creyese, pero ¿qué le iba a hacer?

Circuló hasta la parroquia de Saint Dominic para dejar a *Rocco* en casa. Cuando se apeaba del coche, vio que Nadia salía de allí.

—He venido para sacar a *Rocco* a pasear. Me he asustado. ¿Tienes el móvil encendido?

—Sólo en vibración. No me he dado cuenta.

—Te he llamado un montón de veces.

La pantalla decía LLAMADA PERDIDA NADIA (6).

—Ya lo veo.

—Creía que hoy trabajabas.

—Sí. Sólo que... Sí. Es una historia demasiado larga. Pero tendría que haberte llamado. Perdona.

—Ah, no. No te preocupes.

Bob subió al porche con *Rocco*, que se tumbó panza arriba a los pies de Nadia. Ella le rascó el pecho.

—¿Conoces a un tal Eric Deeds? —preguntó Bob.

Nadia mantuvo la cabeza baja y siguió rascando a *Rocco*.

—Sí, aunque no demasiado. Ya sabes, de por ahí.

—Por la forma en que él lo dijo, supuse que tú...

—¿Que yo qué?

—Nada. No. No sé lo que...

Nadia lo miró. En sus ojos había algo que Bob nunca había visto antes, algo que le aconsejaba dar media vuelta y echar a correr lo más rápido posible.

—¿Por qué coño me agobias con eso?

—¿Qué? Sólo he hecho una pregunta.

—Insinuabas algo.

—No es verdad.

—Y ahora discutes por discutir.

—No.

Nadia se levantó.

—¿Lo ves? No me va esta mierda, ¿vale?

—Espera. ¿Qué pasa? —dijo Bob.

—¿Crees que puedes darme caña, crees que has encontrado un saco de boxeo para practicar con ese puño enorme?

—¿Qué? —dijo Bob—. Por Dios, no.

Nadia pasó por delante de él para irse. Bob alargó el brazo y luego lo pensó mejor, pero ya era tarde.

—No me toques, joder.

Él retrocedió un paso. Nadia le señaló la cara con el dedo y luego bajó los escalones de dos en dos.

Ya en la acera, se volvió.

—Gilipollas —le dijo, al borde de las lágrimas.

Se fue.

Bob se quedó allí sin saber cómo había conseguido joder tanto las cosas.

Ya de vuelta en el bar, estuvo una hora en la parte de atrás con un secador y el dinero mojado. Cuando salió, la barra estaba prácticamente vacía: sólo unos pocos veteranos bebiendo whisky de centeno barato en el lado más próximo a la puerta. El primo Marv y Bob se quedaron en la otra punta.

—Sólo le he hecho una pregunta y todo se ha... torcido.

—Si les dieras el diamante Hope, se quejarían de lo que pesa —dijo el primo Marv. Pasó una hoja del periódico—. ¿Estás seguro de que no ha visto nada?

—¿Torres? Segurísimo —dijo Bob. Aunque no lo estaba.

Se abrió la puerta y entró Chovka, seguido de Anwar. Pasaron ante los tres viejos, se acercaron al otro extremo de la barra y ocuparon los taburetes que había delante de Bob y el primo Marv. Se sentaron. Apoyaron los codos en la barra. Esperaron.

Los tres viejos —Pokaski, Limone e Imbruglia— ni siquiera tuvieron que hablarlo antes de levantarse de los taburetes al mismo tiempo y alejarse a la mesa de billar.

El primo Marv limpió la zona de la barra próxima a Chovka, aunque acababa de limpiarla un minuto antes de que entrasen por la puerta.

—Hola.

Chovka no le devolvió el saludo. Miró a Anwar. Los dos miraron a Bob y al primo Marv. Chovka se metió la mano en el bolsillo. Anwar se metió la mano en el bolsillo. Los dos sacaron las manos de los bolsillos. Dejaron el tabaco y los mecheros en la barra.

Bob rebuscó debajo de la barra y volvió con el cenicero que guardaba para Millie. Lo dejó entre Chovka y Anwar. Los chechenos encendieron sus cigarrillos.

—¿Te pongo algo, Chovka? —preguntó Bob.

Chovka fumó. Anwar fumó.

—Marv —dijo Bob.

—¿Qué? —preguntó Marv.

—Anwar bebe Stella.

El primo Marv se fue a la nevera de la cerveza. Bob sacó una botella de whisky irlandés Midleton del estante de arriba. Sirvió un buen vaso y lo dejó delante de Chovka. El primo Marv volvió con una Stella Artois y la dejó delante de Anwar. Bob cogió un posavasos, levantó la cerveza y puso el posavasos debajo. Luego sacó un sobre de papel marrón de debajo de la caja registradora y lo depositó en la barra.

—Como los billetes todavía están un poco húmedos, los he metido en una de esas bolsas con cierre para congelar. Pero está todo el dinero.

—Una bolsa para congelar —dijo Chovka.

Bob asintió.

—Los habría metido en una secadora, pero no tenemos; he hecho lo que he podido con un secador de pelo. Pero si los dejáis encima de una mesa, estarán bien secos por la mañana.

—¿Y cómo se han mojado, para empezar?

—Tuvimos que lavarlos —dijo Bob.

—¿Estaban manchados?

Los ojos de Chovka permanecían muy quietos.

—Sí.

Chovka observó la copa que le había servido Bob.

—Esto no es lo que me diste la última vez.

—Era un Bowmore dieciocho. Te pareció que sabía a coñac. Creo que éste te gustará más.

Chovka sostuvo el vaso a contraluz. Lo olió. Miró a Bob. Se llevó el vaso a los labios y bebió un sorbo. Dejó el vaso en la barra.

—Morimos.

—¿Perdona?

—Todos nosotros —dijo Chovka—. Morimos. Y morimos de formas muy distintas. Anwar, ¿tú conociste a tu abuelo?

Anwar se bebió media Stella de un trago.

—No. Lleva mucho muerto.

—Bob, ¿tu abuelo está vivo? Cualquiera de los dos.

—No, señor.

—Pero ¿vivieron mucho?

—Uno murió antes de los cuarenta; el otro pasó de los sesenta.

—Pero vivieron en esta tierra. Follaron, pelearon, tuvieron hijos. Pensaron que su época era «la» época, la última palabra. Y después murieron. Porque morimos. —Tomó otro trago y repitió, en un susurro—: Morimos. Pero... ¿y antes? —Se volvió en el taburete y le ofreció su vaso a Anwar—: Tienes que probar este puto whisky, tío.

Le dio una palmada a Anwar en la espalda. Se echó a reír.

Anwar probó un sorbo y le devolvió el vaso.

—Está bien.

—Está bien —se burló Chovka—. No entiendes de cosas buenas, Anwar. Ése es tu problema. Bébete la cerveza. —Chovka apuró el resto del vaso con la mirada fija en el primo Marv. Luego miró a Bob—. Tú sí entiendes de cosas buenas, Bob.

—Gracias.

—Creo que entiendes muchas más cosas de lo que parece.

Bob no dijo nada.

—Os encargaréis de la entrega —dijo Chovka.

—¿Esta noche? —preguntó el primo Marv.

Chovka negó con la cabeza.

Esperaron.

Chovka dijo:

—Super Bowl.

Él y Anwar se apartaron de la barra. Se guardaron los cigarrillos y los mecheros. Cruzaron el bar y se marcharon.

Bob y el primo Marv se quedaron allí, Bob de nuevo tan aturdido que no le hubiese extrañado despertar en el suelo al cabo de diez minutos, sin acordarse de cómo había llegado hasta allí. No es que la habitación diese vueltas, pero se apagaba y encendía, se apagaba y encendía.

—¿Te has fijado en que ni una sola vez se ha dirigido a mí, ni me ha preguntado ni comentado nada? La única vez que se ha dignado mirarme, lo ha hecho como si yo fuera un trozo de papel de váter que se le hubiera pegado al culo y le diera pereza estirar la mano para quitárselo.

—Yo no lo he visto así.

—No lo has visto así porque estabas en plan pelota con él. Aquí tiene su refresco, mi amo, y perdone si no sabe como el puto coñac de dieciocho años que le serví la última vez que vino a controlar a los esclavos de su plantación. ¿Me tomas el pelo, joder? Ese tío quiere liquidarme.

—No es verdad. Desvarías.

—Para nada. Cree que el fiambre de Rardy y yo...

—Rardy no está muerto.

—¿Ah, no? ¿Lo has visto por aquí últimamente? —Marv señaló hacia la puerta y bajó la voz—. Ese puto checheno cree que Rardy y yo lo planeamos todo con el Fiambre Manco. A ti, a ti te ve demasiado imbécil o demasiado... no sé, joder, simpático para robarle. Pero a mí me asesina con la mirada.

—Si él creyera que tú tienes sus cinco mil, ¿de dónde ha sacado los cinco mil de la bolsa?

—¿Qué?

—Los que nos dieron el palo se llevaron cinco mil. Y había cinco mil en la bolsa con la... —Bob echó un vistazo a la mesa de billar para asegurarse de que los tres ancianos seguían allí— mano. O sea, él encontró a ese crío con el dinero y nos lo mandó de vuelta.

—¿Sí?

—Lo que significa que no puede creer que tú tienes el dinero, si él nos lo envió y nosotros se lo hemos devuelto.

—A lo mejor cree que yo estaba compinchado con los atracadores y que ellos guardaban la pasta mientras yo esperaba que la cosa se calmara. Y aunque no lo crea, se le ha metido en la cabeza que soy un capullo. Que no soy de fiar. Y los tipos como él no se preguntan si sus opiniones son racionales. Un día deciden que tú eres una pulga y que mañana es el Día Internacional de la Matanza de Pulgas.

—¿Oyes lo que estás diciendo?

Marv tenía goterones de sudor en la cara.

—Usarán este local para la entrega de la Super Bowl. Luego lo atracarán y después nos matarán, o nos dejaran vivir lo bastante para que todos los *chechenios* locos y los putos georgianos que esa noche metieron su dinero en nuestra caja decidan que lo planeamos nosotros. Y entonces nos ablandarán tres o cuatro días en un sótano hasta que no nos queden ojos ni orejas ni los putos huevos, y tengamos todos los dientes rotos. ¿Y luego? Dos balas en la cabeza, Bob. Dos balas en la cabeza.

Salió de detrás de la barra.

—Marv.

El primo Marv lo rechazó con un gesto y se fue hacia la puerta.

—No puedo trabajar solo un jueves por la noche —dijo Bob.

—Llama a BarTemps y que te manden personal.

—¡Marv!

Marv levantó los brazos en plan ¿y qué vas a hacer?, empujó la puerta y salió a la luz del día. La puerta se cerró y Bob se quedó detrás de la barra. Los veteranos lo miraron desde la mesa de billar antes de volver a sus copas.

Al final de una larga noche, cuando regresó a casa, Bob se encontró a Nadia sentada en el porche, fumando. Sintió que se le iluminaba la cara como un Cuatro de Julio.

—Te vas a congelar ahí —le dijo.

Nadia negó con la cabeza.

—Sólo he salido a fumar. Estaba dentro, con *Rocco*.

—No me importa si lo conoces. No me importa. Me dijo que te saludara, como si eso significara algo.

—¿Qué más dijo?

—Que *Rocco* es suyo.

Ella arrojó el cigarrillo a la calle. Bob esperó con la puerta abierta y Nadia entró en la casa.

En la cocina, Bob sacó a *Rocco* de la jaula, se sentó a la mesa y se lo puso en las rodillas. Nadia cogió dos cervezas de la nevera y le pasó una a Bob.

Bebieron un rato en silencio.

—Eric es atractivo, ¿vale? Y una noche me bastó con eso. O sea, conocía los rumores de que está mal de la cabeza, pero pasó una temporada fuera y al volver parecía más tranquilo, como si se hubiese guardado sus demonios, ¿sabes? Como si los hubiese metido en una caja. Durante un tiempo parecía diferente. Luego, cuando se le fue la olla otra vez, yo estaba en primera fila.

—De ahí lo del cubo de basura.

Nadia miró a *Rocco* y negó con la cabeza.

—No. No estábamos... juntos desde hacía un año. —Negó con la cabeza un poco más, intentando convencerse. Luego—: Así que golpea a *Rocco*, lo da por muerto y lo tira en mi basura, ¿para qué?

—¿Para que pienses en él? No lo sé.

Ella lo meditó.

—Sí, eso parece propio de Eric. Joder, lo siento.

—No lo sabías.

Nadia se arrodilló delante de Bob y *Rocco*. Tomó la cabeza del perro en la mano.

—No sé mucho de santos. ¿Rocco es santo de qué?

—De los perros. San Roque es el patrón de los perros.

—Ya, claro.

—Y de los farmacéuticos, los solteros y los acusados en falso —dijo Bob.

—Vaya, pues sí que tiene faena el colega. —Nadia levantó la cerveza—. Bueno, mierda, un brindis por san Roque.

Y brindaron.

Nadia volvió a sentarse y se pasó el pulgar por la cicatriz.

—¿Alguna vez has pensado que habías hecho algo... no sé, algo imperdonable?

—¿Para quién?

—Ya sabes. —Nadia señaló hacia arriba.

—Algunos días, sí, creo que hay pecados que no podemos redimir. No importa cuánto bien hagamos después, el demonio sólo espera que nuestro cuerpo nos abandone, porque ya tiene nuestra alma. O a lo mejor no hay demonio, pero morimos y Dios dice lo siento, no puedes entrar. Hiciste algo imperdonable; ahora te toca estar solo para siempre.

—Yo me quedaría con el demonio.

—Otras veces creo que Dios no es el problema. Que somos nosotros, ¿comprendes?

Ella negó con un gesto.

—No nos permitimos salir de nuestras jaulas.

Bob movió la pata de *Rocco* ante la cara de Nadia. Ella rió, bebió cerveza.

—He oído decir que el primo Marv ya no es el dueño del bar, que ahora es de unos tipos duros. Pero tú no eres un tipo duro. ¿Por qué trabajas allí?

—El primo Marv y yo llevamos juntos mucho tiempo. Es mi primo de verdad. Él y su hermana, Dottie. Mi madre y su padre eran hermanas.

—¿Compartían maquillaje? —preguntó Nadia, riendo.

—¿Qué he dicho? No, no, ya sabes qué quería decir. —Bob se echó a reír. Era una risa de verdad, y no recordaba la última vez que había reído de ese modo—. ¿Por qué me pinchas así?

—Es divertido.

El silencio fue precioso.

Al fin, Bob lo rompió.

—En otra época, Marv creyó que era un tipo duro. Dirigió una banda durante un tiempo y ganamos algo de dinero.

—¿Y ya no tenéis esa banda?

—Hay que ser brutal. Con ser duro no basta. Empezaron a aparecer esas bandas brutales y nos retiramos.

—Pero sigues en ese mundo.

—Sólo atiendo el bar.

Nadia se quedó mirándolo por encima de su cerveza, dándole a entender que no lo creía, pero que tampoco iba a insistir.

—¿Crees que se irá? —preguntó.

—¿Eric? No me parece de ésos.

—Ya. Mató a un chico, Días de Gloria. Bueno, en verdad no se...

—Richie Whelan, sí —dijo Bob.

—Eric lo mató.

—¿Por qué?

—No lo sé. No le van mucho los porqués, a Eric. —Nadia se levantó—. ¿Otra cerveza?

Bob vaciló.

—Vamos, Bob, suéltate el pelo.

Bob sonrió.

—¿Por qué no?

Nadia le puso una cerveza delante. Acarició la cabeza de *Rocco*. Se sentó y bebieron.

Bob acompañó a Nadia hasta el portal de su casa.

—Buenas noches.

—Buenas noches, Bob. Gracias.

—¿Por qué?

Nadia no respondió. Le puso una mano en el hombro y le dio un beso rápido en la mejilla. Luego se fue.

Bob volvió a casa andando. No se oía nada en la calle. Se topó con un tramo de acera helado. En lugar de rodearlo, se deslizó por encima con los brazos extendidos para guardar el equilibrio. Como un niño pequeño. Al llegar al otro lado, sonrió a las estrellas.

De nuevo en casa, retiró las latas de cerveza de la mesa. Las enjuagó y las metió en una bolsa de plástico que colgaba del tirador de un cajón. Sonrió a *Rocco*, que dormía acurrucado en un rincón de su jaula. Apagó la luz de la cocina.

Volvió a encenderla. Abrió la jaula. *Rocco* abrió los ojos y se quedó mirándolo. Bob observó el detalle añadido a la jaula de *Rocco*.

El paraguas que Eric Deeds se había llevado de su casa.

Bob sacó el paraguas de la jaula y permaneció largo rato sentado con él en la mano.

12

COMO SI NO EXISTIERA EL TIEMPO

El viernes por la mañana Eric Deeds se sentó en la parte trasera del Hi-Fi Pizza con un par de porciones. Siempre que iba a algún sitio a comer o beber, Eric se sentaba al fondo. Le gustaba no estar a más de tres metros de una salida. Por si acaso, le dijo una vez a una chica.

—¿Por si acaso qué?

—Por si vienen por mí.

—¿Quiénes?

—Siempre hay alguien —había respondido Eric, mirándola a los ojos.

Era Jeannie Madden, con quien salía entonces, y Eric creyó que aquellos ojos le devolvían una mirada llena de comprensión. Por fin —¡por fin, joder!— alguien lo entendía.

Ella le acarició la mano.

—Siempre hay alguien, ¿verdad?

—Sí —dijo Eric—. Sí.

Jeannie lo dejó tres horas después, con un mensaje en el viejo contestador que el padre de Eric tenía en el recibidor de su casa, en Parker Hill. En el mensaje Jeannie empezaba siendo amable; le decía que era ella y no él, y que la gente simplemente se distanciaba, y que esperaba que algún día fueran amigos, pero que si intentaba alguna de sus malditas locuras con ella, si se lo planteaba siquiera, sus cuatro hermanos saldrían de un coche mientras él caminaba por Bucky Avenue y le darían una paliza de la hostia que lo dejaría hecho una puta mierda. Pide ayuda, Eric. Pide ayuda de una puta vez, en serio. Pero déjame en paz.

La dejó en paz. Ella se casó con Paul Giraldi, el electricista, justo seis meses después. Tenía tres hijos.

Y Eric seguía mirando la salida trasera de la misma pizzería. Solo.

Se planteó utilizarla esa mañana cuando el gordo, el primo Marv, se acercó a su mesa; pero no quería montar una escena, volver a perder sus privilegios allí. Una vez, en 2005, le habían prohibido la entrada durante seis meses después del incidente con el Sprite y los pimientos verdes, y habían sido los seis meses más largos de su vida, porque en el Hi-Fi hacían la mejor pizza de la puta historia de la pizza.

De modo que se quedó donde estaba mientras el primo Marv se quitaba el abrigo y se sentaba frente a él.

—Sigo sin tener Zima —dijo Marv.

Como no tenía muy claro en qué consistía el juego, Eric continuó comiendo.

El primo Marv apartó la sal y el parmesano y lo miró fijamente desde el otro lado de la mesa.

—¿Por qué no te gusta mi primo?

—Se llevó a mi perro.

Eric volvió a poner el parmesano donde estaba.

—Dicen que le diste una paliza.

—Después me arrepentí. —Eric bebió un sorbito de Coca-Cola—. ¿Eso cuenta?

Marv lo miró como lo miraba mucha gente; como si pudiese leer sus pensamientos y le parecieran miserables.

Algún día te haré sentir miserable a ti, pensó Eric. Te haré llorar, sangrar y suplicar.

—¿Y quieres que te lo devuelva?

—No lo sé. No quiero que tu primo vaya por ahí creyéndose la hostia. Tiene que aprender.

—¿Aprender qué?

—Que no tendría que haberme vacilado, para empezar. Y ahora me vacilas tú. ¿Crees que lo voy a aguantar?

—Tranquilo. He venido en son de paz.

Eric masticó un poco de pizza.

—¿Te han encerrado alguna vez?

—¿Encerrado?

—Sí. En la cárcel.

Eric se terminó la primera porción y se limpió algunas migas de las manos.

—Sí.

—¿Sí? —Marv levantó las cejas—. ¿Dónde?

—Broad River.

—No lo conozco.

—Está en Carolina del Sur.

—Mierda, ¿y cómo acabaste allí?

Eric se encogió de hombros.

—¿Así que cumpliste un tiempo de condena, dos años, digamos, y luego volviste?

—Sí.

—¿Y en esa cárcel de Carolina del Sur qué tal se pasa el tiempo de condena?

Eric levantó la segunda porción. Miró al primo Marv.

—Como si no existiera el tiempo.

Todas las horas que Torres había dedicado a investigar la desaparición de Richie Whelan diez años atrás apenas lo habían llevado a nada. El chico había desaparecido una noche, así de sencillo. Había salido del Cousin Marv's diciendo que volvería al cabo de un cuarto de hora, en cuanto pillase un poco de maría, allí cerca. Era una noche gélida. Peor que gélida, la verdad; la clase de noche que hace que la gente invierta en terrenos de Florida sin verlos siquiera. Quince grados bajo cero, cuando Richie salió del bar a las doce menos cuarto. Torres ahondó un poco más y descubrió que, esa noche, la sensación térmica era de veinticuatro bajo cero por culpa del viento helado. Así que Richie Whelan iba apurándose por la calle a veinticuatro grados bajo cero, un frío que debía de quemarle los pulmones y los resquicios de los dientes inferiores. Esa noche no había nadie más en la calle, porque sólo un fumador de maría que se hubiese quedado sin maría o un cocainómano que se hubiese quedado sin coca se arriesgaría a pasear a medianoche con ese frío. Aunque el paseo sólo fuese de tres manzanas, que era la distancia exacta entre el Cousin Marv's y el sitio donde Whelan iba a comprar.

Esa noche, los supuestos camellos de Whelan eran dos memos llamados Eric Deeds y Tim Brennan. Brennan había declarado a la policía, unos días después, que Richie Whelan nunca llegó a su apartamento. Cuando le preguntaron por su relación con Whelan, había respondido: «A veces me compraba maría.» Eric Deeds nunca había declarado; su nombre sólo aparecía citado en las declaraciones de los amigos que Richie Whelan había dejado esa noche en el bar.

Por tanto, si Torres aceptaba que Brennan no tenía motivos para mentir, ya que había sido razonablemente sincero respecto a lo de venderle drogas al desaparecido Richie Whelan, entonces también podía creer que Richie Whelan se había esfumado a tres manzanas de distancia del Cousin Marv's.

Y Torres no podía quitarse de la cabeza que ninguno de los inspectores que habían investigado la desaparición de Whelan había concedido a ese pequeño detalle el peso que en verdad tenía.

¿Por qué?, habría preguntado Mark Adeline, su teniente (si Torres hubiera sido lo bastante tonto como para admitir que investigaba un caso ajeno pendiente de resolución).

Porque ese hijoputa no comulga, habría contestado Torres.

En la película de la vida de Torres, Mark Adeline se habría recostado en su silla y, mientras la bruma de la sabiduría asomaba a sus ojos, habría dicho: ah, a lo mejor has descubierto algo. Te doy tres días.

En la realidad, a Adeline lo que le preocupaba era subir su índice de robos resueltos. Subirlo mucho. Una nueva promoción de reclutas salía de la academia. Eso significaba que iban a ascender a un puñado de agentes, que cambiarían el uniforme por la ropa de paisano. Robos, Delitos Graves, Homicidio, Antivicio... Todos buscaban sangre nueva. ¿Y la vieja? ¿Los que iban tras los casos abiertos de otros polis mientras los suyos se enmohecían y acumulaban polvo? Los enviaban al archivo de pruebas o a Transporte Público o al departamento de Prensa o, peor aún, a la policía portuaria, para hacer cumplir los códigos marítimos a quince grados bajo cero. Evandro Torres tenía la mesa repleta y el disco duro saturado de expedientes. Debía tomar declaraciones del atraco en la licorería de Allston, del robo en la calle Newbury y de la banda que se dedicaba a asaltar farmacias por toda la ciudad. Más el atraco en el Cousin Marv's. Más las casas que no paraban de desvalijar al mediodía en el sur de la ciudad. Más los camiones de reparto del puerto, que seguían perdiendo carne congelada y pescado fresco.

Más, más, más. La mierda se amontonaba y seguía amontonándose cada vez más arriba, mientras por abajo se deslizaba hacia un hombre; sin concederle siquiera tiempo para que se diera cuenta de que aquella montaña se lo había tragado.

Torres subió al coche diciéndose que iba al puerto a interrogar sobre los robos a aquel camionero que le caía bien, uno que había estado demasiado simpático la última vez que charlaron y que mascaba chicle como mascan nueces las ardillas.

Sin embargo, lo que hizo fue dirigirse a la planta eléctrica de Southie, donde salía el sol justo cuando los empleados del turno de noche terminaban su jornada, y pidió al capataz que le señalara a Sean McGrath. McGrath era uno de los antiguos colegas de Whelan y, por lo que había oído, el líder del grupo que rendía homenaje a Días de Gloria una vez al año, en el aniversario de la noche de su desaparición.

Torres se presentó y empezó a explicar por qué estaba allí, pero McGrath levantó una mano y llamó a otro tipo.

—¡Eh, Jimmy!

—¿Qué?

—¿Adónde vamos?

—Al sitio ese.

—¿El de al lado de la tienda?

Jimmy negó con la cabeza y encendió un cigarrillo.

—El otro.

—Bien.

Jimmy se despidió y se alejó con los demás.

Sean McGrath se volvió hacia Torres.

—Así que pregunta por la noche en que Richie se esfumó.

—Sí. ¿Qué puede contarme?

—Nada. Salió del bar. No volvimos a verlo.

—¿Eso es todo?

—Eso es todo. Nadie quiere que sea así, créame, pero es lo que hay. Nadie volvió a verlo. Si hay un cielo y consigo que me dejen entrar, lo primero que preguntaré, antes incluso que ¿quién mató a Kennedy? o ¿está Jesús por ahí?, será ¿qué coño le pasó a mi amigo Richie Whelan?

Torres miró al tipo que saltaba de un pie a otro en el frío matinal y supo que no podría retenerlo mucho tiempo.

—En su declaración original, dijo que él iba a...

—Pillar maría, sí. Solía comprársela a ese gilipollas de Tim Brennan, y a otro tío.

Torres consultó su cuaderno.

—Eric Deeds. Eso aparece en su declaración. Pero me gustaría preguntarle algo.

—Claro.

—¿Bob Saginowski y su primo Marv trabajaban en el bar esa noche?

Sean McGrath dejó de soplarse las manos.

—¿Intenta relacionarlos con esto?

—Sólo intento...

McGrath se le acercó y Torres captó el singular aroma de un hombre con quien no conviene meterse demasiado.

—Viene, se presenta y me dice que está en Robos. Pero a Richie Whelan no le robaron. Y me planta aquí, a la vista de todos mis compañeros de trabajo, como si fuera un chivato. Eso se lo agradezco mucho.

—Oiga, señor McGrath...

—¿El Cousin Marv's? Es mi bar. —Se acercó un paso más y fulminó a Torres con la mirada, mientras respiraba hondo con los orificios de la nariz hinchados—. No se meta con mi bar.

Se despidió con una parodia de saludo y se alejó calle arriba, detrás de sus amigos.

Eric Deeds se asomó a la ventana del segundo piso cuando sonó el timbre por segunda vez. No se lo podía creer. Ahí abajo estaba Bob. Bob Saginowski. El Problema. El Secuestraperros. El Bienhechor.

Eric oyó demasiado tarde el chirrido de las ruedas y al volverse vio a su padre acercándose con su silla al portero automático.

—Vuelve a tu habitación —dijo Eric, señalándolo con el dedo.

El anciano se quedó mirándolo como un niño que todavía no hubiese aprendido a hablar. Llevaba nueve años sin hacerlo y eso había convencido a mucha gente de que ahora era débil, retrasado y otras mierdas por el estilo, pero Eric sabía que el cabrón malvado seguía ahí, viviendo justo debajo de la piel. Que seguía pensando en cómo fastidiarlo, cómo joderlo, cómo asegurarse de que siempre tuviera la sensación de pisar arenas movedizas.

Volvió a sonar el timbre y el viejo pasó un dedo por los botones del interfono: ESCUCHAR, HABLAR y ABRIR.

—He dicho que no toques nada, joder.

El viejo dobló el dedo y lo acercó al botón ABRIR.

—Voy a tirarte por la ventana. Y cuando ya estés abajo, te tiraré encima esa puta silla chirriante tuya.

El viejo se quedó inmóvil, con las cejas levantadas.

—Lo digo en serio.

El viejo sonrió.

—No te...

El viejo pulsó ABRIR y no soltó el botón.

Eric cruzó la sala de estar, cargó contra su padre y lo derribó de la silla de ruedas. El viejo soltó una carcajada. Se quedó tendido en el suelo, riendo junto a la silla con una expresión blanda y distante en sus ojos blanquecinos como la leche, como si pudiera ver el otro mundo y supiera que allí todos son tan capullos como en éste.

Bob acababa de pisar la acera cuando oyó el zumbido. Volvió a subir corriendo los peldaños y cruzó el porche.

Llegó a la puerta justo cuando el zumbido dejaba de sonar.

Mierda.

Llamó otra vez al timbre. Esperó. Volvió a llamar. Esperó. Asomó la cabeza por un costado de la barandilla del porche y miró al segundo piso, preguntándose si alguno de los inquilinos se habría dejado abierta la puerta trasera. Solía pasar, o también que el casero no se fijase en si la madera que rodeaba la cerradura se había podrido durante el invierno o tenía termitas. Pero ¿qué iba a hacer?, ¿forzarla? Esos rollos quedaban tan lejos en su retrovisor que podrían haber pertenecido a la vida de un doble o de un hermano gemelo a quien nunca hubiera tenido mucho apego.

Dio media vuelta para echar a andar calle arriba, pero se encontró a Eric Deeds delante, mirándolo con aquella maldita luz en la cara, como si fuese el finalista de una ceremonia de beatificación para personas que se hubieran caído de cabeza cuando eran bebés. Seguro que había salido por el callejón lateral, dedujo Bob, y ahora lo tenía delante, despidiendo la misma energía que un cable eléctrico derribado por la tormenta, que zumba y chisporrotea en la calle.

—Has molestado a mi padre.

Bob no respondió, pero debió de mover la cara, porque Eric lo imitó con una compleja pantomima, subiendo y bajando la boca y las cejas.

—¿Cuántas veces tienes que llamar a un puto timbre antes de concluir que si no te han respondido todavía es porque no piensan hacerlo, Bob? Mi padre es viejo, joder. Necesita paz, serenidad y esas cosas.

—Lo siento —dijo Bob.

A Eric le gustó. Sonrió.

—Lo siento. Es todo lo que se te ocurre decir. El clásico lo siento. —La sonrisa de Eric murió reemplazada por algo muy desolado, la expresión de un animalillo con una pata rota perdido en una zona del bosque que no reconoce, y luego la desolación se ahogó en una ola de frío y astucia—. Bueno, me has ahorrado un viaje.

—¿Ah, sí?

—Iba a pasarme por tu casa después.

—Ya lo suponía.

—Te devolví el paraguas.

Bob asintió.

—Podría haberme llevado el perro.

Bob volvió a asentir.

—Pero no me lo llevé.

—¿Por qué no?

Eric contempló la calle, donde el tráfico matinal empezaba a disminuir.

—Ya no encaja en mis planes.

—Bien.

Eric sorbió aire frío por la nariz y luego echó un escupitajo en la acera.

—Dame diez mil.

—¿Qué?

—Dólares. Mañana por la mañana.

—¿Y quién tiene diez mil dólares?

—Puedes encontrarlos.

—¿Y cómo voy a...?

—Por ejemplo, en la caja fuerte del despacho del Cousin Marv's. Ése podría ser un buen sitio por donde empezar.

Bob negó con la cabeza.

—Imposible. Tiene un temporizador...

—Lo sé. —Eric encendió un cigarrillo. La llama de la cerilla se avivó con el viento y le quemó el dedo. Agitó la cerilla y el dedo hasta apagar la llama y luego se sopló el dedo—. El temporizador se desconecta a las dos de la madrugada; entonces tienes noventa segundos para transferir el dinero de la caja fuerte del suelo, o se activan dos alarmas silenciosas, ninguna de ellas conectada a una comisaría o una empresa de seguridad. ¿Qué te parece?

Eric le dedicó un arqueo de cejas y dio una calada al pitillo.

—No soy avaricioso, Bob. Sólo necesito dinero para invertir en algo. No quiero todo lo que hay en la caja fuerte, sólo diez de los grandes. Me das diez de los grandes y desaparezco.

—Eso es ridículo.

—Vale, es ridículo.

—No puedes aparecer en la vida de alguien y...

—La vida es precisamente eso: alguien como yo que aparece cuando no miras ni te lo esperas. Soy setenta y cinco kilos de Fin de los Tiempos, Bob.

—Tiene que haber otra forma.

Las cejas de Eric Deeds volvieron a subir y bajar.

—Estás sopesando todas tus opciones, pero son opciones para gente normal en circunstancias normales. Yo no te ofrezco esas cosas. Necesito mis diez mil. Los consigues esta noche, te los recojo mañana por la mañana. A lo mejor me los juego en la Super Bowl, seguro que gano. Basta con que estés en tu casa a las nueve en punto con los diez mil. Si no, me pondré a pegar botes encima de la cabeza de esa puta zorra de Nadia hasta que se le parta el cuello y no le quede cara. Y al perro le machacaré la cabeza con una piedra. Mírame a los ojos y dime qué parte no es verdad, Bob.

Bob lo miró a los ojos. No era la primera vez en su vida —tampoco sería la última— que tenía que contener la náusea que le revolvía el estómago ante el rostro de la crueldad. Lo único que pudo hacer fue no vomitarle en la cara.

—¿Qué coño te pasa?

—Me pasa de todo, Bob. Estoy muy jodido de la cabeza. Y tú te llevaste mi perro.

—Casi lo matas.

—Qué va. —Eric negó con la cabeza, como si creyera lo que decía—. Te habrán llegado voces de lo que le hice a Richie Whelan, ¿verdad?

Bob asintió.

—Ese crío era un capullo. Lo pillé intentando follarse a mi novia, así que... adiós, Richie. ¿Sabes por qué lo menciono, Bob? Porque para el asunto de Richie me busqué un colega. Y lo conservo. Si se te ocurre hacerme algo, pasarás el resto de tus días de limitada libertad pensando cuándo va a aparecer mi colega para ajustar cuentas contigo, o para hacer una llamadita a la pasma. —Eric arrojó el cigarrillo a la calle—. ¿Algo más, Bob?

Bob no abrió la boca.

—Nos vemos por la mañana.

Eric lo dejó en la calle y volvió a su casa.

—¿Quién es ese tipo? —le preguntó Bob a Nadia mientras paseaban a *Rocco* por el parque.

—¿Quién es? ¿O quién es para mí?

El río había vuelto a helarse la noche anterior, pero el hielo ya empezaba a agrietarse entre crujidos y gemidos. *Rocco* se empeñaba en apoyar una pata en la orilla y Bob se la apartaba una y otra vez.

—Para ti, entonces.

—Ya te lo he dicho. Salimos juntos un tiempo. —Nadia encogió los estrechos hombros—. Es un tío que se crió en mi calle. Entra en la cárcel y sale. También en los hospitales. Dicen que en 2004 mató a Richie Whelan.

—¿Dicen? ¿O lo dice él?

Otro gesto de indiferencia.

—Da lo mismo.

—¿Por qué mató a Richie Whelan?

—Me contaron que intentaba impresionar a unos tipos duros de la calle Stoughton.

—La banda de Leo.

Nadia lo miró con su cara de luna blanca bajo la capucha negra.

—Eso se rumorea.

—Conque es un chico malo.

—Todo el mundo es malo.

—No, no es cierto —dijo Bob—. La mayoría de la gente es buena.

—¿Ah, sí? —Una sonrisa de incredulidad.

—Sí. Sólo que, no sé, la gente la caga y luego la vuelve a cagar cuando intenta remediar la cagada anterior, y después de un tiempo ésa es su vida.

Ella rió entre dientes.

—Conque es eso, ¿eh?

—Sí, a veces.

Bob le miró la soga oscura que le rodeaba el cuello.

—¿Cómo es que nunca me has preguntado?

—Ya te lo dije... No me parecía educado.

Ella le dedicó su sonrisa rompecorazones.

—¿Educado? ¿Quién tiene aún esos modales?

—Nadie —reconoció Bob. La admisión sonaba algo trágica, como si, en el mundo, demasiadas cosas importantes hubiesen perdido su sitio en la cola. Se despertaría un día y todo habría desaparecido, como los periódicos o los cartuchos de ocho pistas—. ¿Te lo hizo Eric Deeds?

Nadia negó con un gesto. Luego asintió. Luego volvió a negar.

—Me hizo algo durante uno de sus... los psiquiatras lo llaman períodos maníacos. No me sentó bien. En esa época yo tenía otras muchas mierdas en la cabeza, no fue sólo él...

—Sí, lo fue.

—...él fue la gota que colmó el vaso.

—¿Te cortaste el cuello?

Nadia le dirigió una serie de rápidos asentimientos.

—Iba bastante colocada.

—¿Te lo hiciste tú?

—Con un cúter. Eso que...

—Oh, Dios. Ya sé lo que es. —Bob repitió—: ¿Te lo hiciste tú?

Nadia lo miró a los ojos.

—Era una persona distinta. No me gustaba... para nada.

—¿Y ahora te gustas?

Nadia se encogió de hombros.

Bob no dijo nada. Sabía que si hablaba mataría algo que merecía vivir.

Al cabo de un rato, Nadia lo miró con ojos brillantes y volvió a encogerse de hombros.

Caminaron un poco.

—¿Lo viste alguna vez con *Rocco*?

—¿Qué?

—¿Lo viste? Vivía en tu misma calle.

—No, creo que no.

—¿Crees que no?

Ella retrocedió un paso.

—¿Quién eres ahora mismo, Bob? Porque no eres tú.

—Sí que soy yo —aseguró él. Suavizó la voz—. ¿Viste alguna vez a Eric Deeds con *Rocco*?

Otra serie de rápidos asentimientos, como un pájaro que bebe agua.

—Entonces sabías que el perro de la basura...

Siguieron los asentimientos, breves y rápidos.

—... era suyo. —Bob soltó un prolongado suspiro—. Vale.

Cruzaron un pequeño puente de madera que atravesaba el quieto río helado; el hielo era fino y su color azul ya clareaba, pero aún resistía.

—Conque dice que sólo quiere diez mil —dijo ella por fin.

Bob asintió.

—¿Y si distraes esos diez mil?

—Alguien lo pagará.

—¿Tú?

—Y Marv. Los dos. Ya han atracado el bar una vez.

—¿Os matarán?

—Depende. Se reunirá un grupo de chechenos, italianos, irlandeses. Cinco o seis tipos gordos tomarán café en un aparcamiento y lo decidirán. ¿Diez mil más los cinco del atraco? No tiene buena pinta. —Bob alzó la vista al cielo desnudo—. Podría juntar diez por mi cuenta. He estado ahorrando.

—¿Para qué? ¿Para qué ahorra Bob Saginowski?

Bob no dijo nada; ella lo dejó estar.

—Entonces, si puedes reunir esos diez...

—No bastaría.

—Pero eso es lo que pide.

—Claro, pero no es lo que quiere. Un hombre hambriento ve una bolsa de patatas y sabe que no va a ver otra en... digamos que nunca más. Si se come cuatro o cinco patatas cada cuatro horas, la bolsa le durará cinco días, pero ¿tú qué crees que hará?

—Comerse toda la bolsa.

Bob asintió.

—¿Qué vas a hacer?

Rocco intentó una vez más acercarse a la orilla y Bob tiró de él. Se agachó y le tocó el hocico con el índice.

—No. ¿Comprendes? No. —Alzó la vista y le dijo a Nadia—: No tengo ni idea.

13

ACUÉRDATE DE MÍ

El público del partido de los Bruins salía por la calle Causeway en plena lluvia. El primo Marv tuvo que detener el coche a un lado mientras los polis gritaban a los peatones que avanzaran y el gentío empujaba y movía el chasis del Honda, los taxis pitaban y la lluvia se escurría por el parabrisas como una bullabesa. Marv estaba a punto de arrancar y dar la vuelta a la manzana, lo que con aquel tráfico de mierda le hubiera costado media hora, cuando Fitz se materializó entre la multitud, se detuvo a un metro del coche y se quedó mirándolo con cara pálida y demacrada bajo la oscura capucha de vinilo.

Marv bajó la ventanilla del viejo Honda, de un dorado ya descolorido.

—Sube.

Fitz permaneció donde estaba.

—¿Qué? ¿Crees que llevo el maletero forrado de plástico? —Marv tiró de la palanca que abría el maletero—. Compruébalo tú mismo.

Fitz echó un vistazo en esa dirección, pero no se movió.

—No pienso subir ahí contigo.

—¿En serio? Tenemos que hablar.

—¡Se han cargado a mi hermano! —gritó Fitz bajo la lluvia.

Marv asintió en tono sensato.

—Estoy seguro de que el poli del cruce lo ha oído. O el que tienes justo ahí detrás, Fitzy.

Fitz se volvió para mirar al joven poli que controlaba a la multitud, a poco más de un metro. Pasando de ellos, por el momento. Pero eso podía cambiar.

—Esto es de imbéciles —dijo Marv—. Unas dos mil personas, polis incluidos, nos han visto hablando aquí en el coche. Hace un frío que te cagas. Sube.

Fitz se acercó al coche, luego se detuvo. Gritó:

—¡Eh, agente! ¡Agente!

El poli joven se volvió.

Fitz se señaló el pecho y luego el Honda.

—Acuérdate de mí, ¿vale?

—¡Saque ese coche de ahí! —gritó el policía.

Fitz levantó el pulgar.

—¡Me llamo Fitz!

—¡Circulen! —gritó el poli.

Fitz abrió la puerta, pero Marv lo detuvo.

—Cierra bien el maletero, ¿quieres?

Fitz corrió bajo la lluvia y cerró el maletero. Montó en el coche. El primo Marv subió la ventanilla y arrancó.

En cuanto empezaron a circular, Fitz se levantó la cazadora y le mostró el treinta y ocho que le asomaba por la cintura.

—No me jodas. Ni se te ocurra joderme. ¿Me oyes? ¿Me oyes?

—¿Tu mamá te ha puesto esa pistola en la bolsa de la merienda? ¿Cómo se te ocurre venir armado? ¿Te crees en un puto estado republicano y temes que los italianos te quiten el curro y los negros violen a tu mujer? ¿Es eso? —dijo Marv.

—La última vez que alguien vio a mi hermano con vida, se subía a un coche con un tío.

—Y fijo que tu hermano también iba armado.
—Que te jodan, Marv.
—Oye, lo siento, Fitz, de veras. Pero ya me conoces, no me van las pipas. Sólo soy un encargado de bar cagado de miedo. Ojalá me dieran otra oportunidad para repetir todo este año de mierda. —Marv miró por la ventanilla mientras la caravana avanzaba lentamente hacia Storrow Drive. Echó un vistazo al arma—. ¿Te crecería la polla si me apuntases con la pipa así, de lado, en plan gángster y tal?
—Eres un gilipollas, Marv.
Marv rió entre dientes.
—Dime algo que no sepa.
El tráfico mejoró un poco cuando doblaron en Storrow y se dirigieron al oeste.
—Vamos a morir —dijo Fitz—. ¿Eso ya lo has pillado?
—Ahora todo es cuestión de equilibrio entre el riesgo y el beneficio, Fitzy. El riesgo ya lo hemos corrido y, sí, parece que la cosa no pinta bien, pero...
Fitz encendió un cigarrillo.
—¿Pero...?
—Pero yo sé dónde va a caer la entrega de la Super Bowl. El gordo de las entregas. ¿Quieres vengarte por lo de tu hermano? Róbales un millón.
—Un puto suicidio.
—Ahora mismo, si nos quedamos nos van a matar igual. Prefiero huir con un cofre lleno de dinero que largarme sin blanca.
Fitz se lo pensó. Su rodilla derecha daba golpecitos en la parte inferior de la guantera.
—No pienso hacerlo otra vez, tío.
—Tú eliges. No voy a suplicarte que me ayudes a cambio de un botín con seis ceros.
—Nunca vi mi parte de los miserables cinco mil de la primera vez.

—Pero los tenías tú.

—Los tenía Bri.

El tráfico se había reducido considerablemente cuando pasaron frente al Harvard Stadium, el primer estadio de fútbol americano construido en todo el país; un edificio más que se burlaba de Marv, otro sitio donde se reirían de él si intentara entrar. Así funcionaba la ciudad: en cada esquina te plantaba su historia en las narices para que, a su sombra, te sintieras insignificante.

El primo Marv dobló al oeste, siguiendo el río. Ahora no había nadie en la carretera.

—Iré a medias contigo, entonces.

—¿Qué?

—En serio. Pero te pido algo a cambio: primero, no le cuentas a nadie ni una palabra de lo que te he dicho. Y, segundo, ¿sabes de un sitio donde pueda esconderme un par de días?

—¿Estás en la calle?

Se oyó un ruido metálico. Marv miró por el retrovisor y vio que la puerta del maletero subía y bajaba en la lluvia.

—El puto maletero. No lo has cerrado.

—Claro que sí.

—Pues no lo has cerrado bien. —La puerta del maletero siguió moviéndose arriba y abajo—. Y no, no estoy en la calle, pero todo el mundo sabe dónde vivo. Tú, en cambio... Ni siquiera yo lo sé.

La puerta del maletero golpeó contra el coche y rebotó de nuevo hacia arriba.

—Yo lo he cerrado —dijo Fitz.

—Si tú lo dices...

—Para un momento y lo arreglo, joder.

Marv entró en uno de los aparcamientos que había a lo largo del río Charles; se rumoreaba que eran un punto de encuentro para los maricas que de día llevaban vida de casados. En todo el aparcamiento sólo se veía una vieja chatarra americana que parecía llevar allí una semana; la nieve libraba una batalla imposible contra la lluvia en la parrilla delantera. Era sábado, recordó Marv, lo que significaba que los maricas estarían en casa con sus mujeres e hijos, fingiendo que no les gustaban las pollas ni las películas de Kate Hudson. El lugar estaba desierto.

—¿Puedo apalancarme en tu casa, o no? —preguntó Marv—. Sólo esta noche, y tal vez la de mañana.

Detuvo el coche.

—En mi casa no, pero sé de un sitio.

—¿Tiene tele?

—¿Qué coño...? —dijo Fitz mientras salía del coche.

Corrió a la parte de atrás y cerró el maletero con una mano. Regresaba a su asiento cuando de pronto volvió la cabeza. El maletero se había abierto otra vez.

Marv vio que Fitz contraía el rostro en un gesto de rabia. Corrió de nuevo atrás, sujetó la puerta del maletero con las dos manos y volvió a cerrarla con tal fuerza que todo el coche se sacudió, Marv incluido.

Entonces las luces de freno, que le teñían la cara de rojo, se apagaron. Los ojos de Fitz se encontraron con los de Marv por el retrovisor y en el último instante comprendió el juego. El odio de su mirada no parecía tan dirigido a Marv como a su propia estupidez.

Todo el Honda se estremeció cuando Marv puso la marcha atrás y atropelló a Fitz. Oyó un grito, sólo uno; hasta ese único grito fue distante y a Marv no le costó imaginar que lo que rozaban los bajos del coche era un saco de patatas o un inmenso pavo de Navidad.

—Joder, tío. —Marv se oyó decir en la lluvia—. Joder, joder, joder.

Y luego volvió a atropellar a Fitz, esta vez hacia delante. Pisó el freno. Puso marcha atrás. Repitió de nuevo toda la operación.

Le pasó por encima unas cuantas veces más antes de dejar el cuerpo allí y conducir hasta su coche. No le hacía falta limpiar el Honda por dentro; lo mejor del invierno era que todo el mundo llevaba guantes. Podías acostarte con los guantes puestos y nadie sospechaba nada, sólo te preguntaban dónde podían agenciarse un par.

Al bajarse del Honda, miró hacia donde había quedado el cuerpo de Fitz. Apenas alcanzaba a verlo. Desde tan lejos podría haber sido un montón de hojas caídas o un montón de nieve vieja fundiéndose bajo la lluvia incesante. Demonios, desde allí lo que le parecía el cuerpo de Fitz podía ser sólo un juego de luces y sombras.

Ahora mismo, comprendió Marv en ese instante, soy tan peligroso como el hombre más peligroso del mundo. He matado a alguien.

No era una idea desagradable.

Subió a su coche y se alejó. Por segunda vez esa semana, se recordó que debía cambiar el limpiaparabrisas.

Bob bajó la escalera del sótano con *Rocco* en brazos. La habitación principal estaba vacía e inmaculada, con el suelo y las paredes pintados de blanco. En la pared del fondo, frente a la escalera, había un depósito negro de gasóleo. Bob pasó por delante como siempre hacía —deprisa y con la cabeza gacha— y se llevó a *Rocco* a un rincón del sótano donde su padre, muchos años atrás, había instalado un lavabo. Junto al lavabo había unos estantes llenos de viejas herramientas, botas y latas de pintura. Encima del lavabo había un armario. Bob dejó a *Rocco* dentro del lavabo.

Abrió el armario. Contenía aerosoles de pintura, frascos llenos de tornillos y clavos, unos pocos botes de decapante. Cogió una lata de café Chock full o'Nuts y la dejó junto al lavabo. Bajo la atenta mirada de *Rocco*, sacó de la lata una bolsita de tornillos pequeños. Luego un rollo de billetes de cien dólares. Había más rollos dentro de la lata. Cinco más. Bob siempre se había imaginado que algún día, después de morir él, los que limpiaran su casa encontrarían la lata, se embolsarían el dinero y se conjurarían para no decírselo a nadie. Pero eso, por supuesto, sería imposible, y el rumor circularía hasta convertirse en leyenda urbana: el tipo que encontró cincuenta mil dólares dentro de una lata de café en el sótano de un viejo solitario. Esa idea, a saber por qué, siempre le había gustado. Bob se guardó el rollo en el bolsillo, devolvió la bolsita de tornillos a la lata y la cerró. Guardó de nuevo la lata en el armario y lo cerró con llave.

Bob contó el dinero con esa velocidad que sólo tienen los camareros y los crupieres. Estaba todo. Diez mil. Agitó los billetes delante de *Rocco*, abanicándole la cara.

—¿Tanto vales? —El cachorro lo miró con la cabeza ladeada—. Lo sé. Es mucho dinero.

Rocco apoyó las patas delanteras en el borde del lavabo y le mordisqueó la muñeca con sus afilados dientecitos de cachorro.

Bob lo levantó con la otra mano y pegó su cabeza a la del perro.

—Es broma, es broma. Claro que lo vales.

Salieron de la habitación de atrás. Esta vez, al pasar ante el depósito negro de gasóleo, Bob se detuvo. Se quedó delante con la cabeza baja y luego alzó la vista. Por primera vez desde hacía años, lo miró directamente. Tiempo atrás, había retirado las tuberías antes acopladas al depósito —una que recibía el combustible desde el muro exterior y otra que distribuía el calor por la casa— y sellado los agujeros.

Dentro, en lugar de gasóleo, había lejía, sal de roca y, a aquellas alturas, huesos. Sólo huesos.

En sus días más oscuros, cuando casi había perdido la fe y la esperanza, cuando bailaba con la desesperación y de noche luchaba con ella entre las sábanas, había tenido la sensación de que se le desprendían partes de la cabeza, como las piezas que recubren las naves espaciales para protegerlas del calor al chocar con un asteroide. Imaginaba que esas piezas suyas desgajadas quedaban flotando por el espacio, para no regresar jamás.

Pero habían regresado. Y casi todo el resto de su entereza también.

Subió la escalera con *Rocco* y se volvió para mirar el depósito de gasóleo una última vez.

Bendíceme, Padre...

Apagó la luz. Oyó su respiración y la del perro en la oscuridad.

...porque he pecado.

14

EL YO DEL OTRO

Domingo de Super Bowl.

Más dinero en juego que la suma de apuestas del resto del año entre la Final Four de baloncesto, el derbi de Kentucky, la final de la NBA, la Copa Stanley y las Series Mundiales. Si no existiera ya el papel moneda, lo habrían inventado sólo para manejar el peso y el volumen de las apuestas de aquel día. Ancianitas que no se enteraban de nada tenían una corazonada con los Seahawks; los ilegales guatemaltecos que cargaban cubos de limpieza en las obras creían que Manning era lo más parecido al Segundo Advenimiento de nuestro Señor y Salvador. Todo el mundo apostaba, todo el mundo miraba.

Mientras esperaba que Eric Deeds apareciese por su casa, Bob se permitió una segunda taza de café, porque sabía que lo aguardaba el día más largo de su vida. *Rocco* estaba en el suelo, a sus pies, masticando un juguete de cuerda. Bob había dejado los diez mil dólares en el centro de la mesa. También había organizado las sillas. La suya quedaba junto al cajón de la encimera donde guardaba la treinta y dos de su padre, por si acaso. Sólo por si acaso. Abrió el cajón, miró dentro. Lo abrió y cerró veinte veces para asegurarse de que no se atascaba.

Se sentó e intentó leer el *Globe* y luego el *Herald*. Puso las manos en la mesa.

Eric no apareció.

Aunque no sabía cómo interpretarlo, se le indigestó en la boca del estómago, como si tuviese dentro un cangrejo asustado que, al corretear de un lado a otro, le rasgara las entrañas.

Bob esperó un poco más y luego esperó otro poco, pero llegó un momento en que se hizo demasiado tarde para seguir esperando.

Dejó el revólver donde estaba. Envolvió el dinero en una bolsa de plástico, se lo guardó en el bolsillo y cogió la correa de *Rocco*.

Metió la jaula del perro, plegada, en el asiento trasero del coche con una manta, algunos juguetes para morder, un cuenco y comida para perros. Puso una toalla en el asiento del copiloto, instaló a *Rocco* encima y arrancó.

Bob se aseguró de que el coche estuviera bien cerrado y la alarma conectada antes de dejar a *Rocco* roncando dentro y llamar a la puerta de Marv.

Dottie le abrió mientras se ponía el abrigo. Bob se quedó en el recibidor con ella, quitándose la sal que se le había pegado a la suela de las botas.

—¿Adónde vas? —le preguntó a Dottie.

—A trabajar. Pagan más en fin de semana, Bobby.

—Creía que te habías prejubilado.

—¿Para hacer qué? Trabajaré un par de años más, espero que la flebitis no empeore, y luego ya veré. Haz que mi hermanito coma algo. Le he dejado un plato en la nevera.

—De acuerdo —dijo Bob.

—Tiene que ponerlo un minuto y medio en el microondas. Bueno, que te vaya bien.

—Igualmente, Dottie.

—¡Me voy a trabajar! —gritó Dottie a pleno pulmón, hacia el fondo de la casa.

—Que te vaya bien, Dot —contestó el primo Marv.

—¡Lo mismo digo! ¡Come algo!

Dottie y Bob se despidieron con un beso y ella se fue.

Bob cruzó el recibidor y encontró a Marv en la salita, sentado en su sillón reclinable, viendo el programa previo al partido, en el que los comentaristas Dan Marino y Bill Cowher, vestidos con trajes de cuatro mil dólares, anotaban X y O en un tablero para ilustrar las tácticas de los equipos.

—Dottie dice que has de comer —dijo Bob.

—Dottie dice muchas cosas. Y las dice a un volumen de la hostia.

—A lo mejor es la única forma de que escuches.

—¿Y eso qué significa exactamente? Porque soy un poco tonto.

—El día más importante del año y no me coges el teléfono.

—No pienso ir a trabajar. Llama a BarTemps.

—«Llama a BarTemps.» Ya lo he hecho, joder. Hoy se juega la Super Bowl.

—Entonces, ¿para qué me necesitas?

Bob se sentó en el otro sillón reclinable. De niño le había gustado esa habitación, pero le partía el corazón ver que pasaba el tiempo y seguía exactamente igual, salvo por un televisor nuevo cada cinco años. Como una hoja de calendario que ya nadie se molestaba en arrancar.

—No te necesito, pero ¿vas a pasar de la mejor propina del año?

—Ah, ahora trabajo por las propinas. —El primo Marv, vestido con un ridículo jersey rojo, blanco y azul de los Patriots y un pantalón de chándal a juego, no despegó los ojos de la pantalla—. ¿Te has fijado en el nombre del bar? Es el mío. ¿Sabes por qué? Porque antes yo era el dueño.

—Te agarras a esa pérdida como si fuese tu único pulmón bueno.

El primo Marv volvió bruscamente la cabeza y lo fulminó con los ojos:

—Desde que tienes ese perro que confundes con un hijo, te has vuelto un descarado de mierda.

—No puedes cambiar lo que pasó. Ellos presionaron, tú te echaste atrás, se acabó. Se acabó hace mucho tiempo.

El primo Marv alargó un brazo hacia la palanca del sillón reclinable.

—No soy yo el que ha desperdiciado toda su vida esperando a que empiece.

—¿Eso es lo que he hecho?

Marv tiró de la palanca y bajó los pies al suelo.

—Sí. Así que ya os podéis ir a la puta mierda, tú y tus sueños miserables. Antes me temían. ¿Ese puto taburete donde dejas sentar a esa vieja? Era mi taburete. Nadie se sentaba ahí, porque era el asiento del primo Marv. Eso significaba algo.

—No, Marv. Sólo era un asiento.

Marv volvió a la tele. Ahora salían Boomer Esiason y J. B., partiéndose de risa.

Bob se le acercó y le dijo en voz baja, pero muy clara:

—¿Vas a hacer algo desesperado otra vez? Marv, oye. Escúchame. ¿Vas a hacer algo que luego no habrá manera de arreglar?

El primo Marv se recostó en el sillón hasta que el reposapiés volvió a levantarse. No miró a Bob. Encendió un cigarrillo.

—Lárgate de aquí, joder. En serio.

• • •

Bob colocó la jaula en la trastienda del bar, extendió la manta dentro y metió los juguetes, pero dejó a *Rocco* un rato suelto por allí. Lo peor que podía pasar era que el cachorro se cagase, y en tal caso tenían artículos de limpieza y una manguera.

Fue a la barra. Se sacó del abrigo la bolsa con los diez mil dólares y la dejó en el estante, junto a la misma semiautomática de nueve milímetros que el primo Marv había decidido, muy sabiamente, no usar la noche del atraco. Desplazó el dinero y el arma a las sombras del estante empujándolos con un paquete de posavasos retractilado y luego añadió otro paquete delante del primero.

Contempló a *Rocco*, que se lo pasaba en grande corriendo y olfateando por todas partes. En ausencia de Marv, precisamente el día que más lo necesitaba, a Bob le parecía que cada centímetro del mundo estaba cubierto de arenas movedizas. No había nada a lo que agarrarse. No había un lugar seguro donde poner los pies.

¿Cómo había llegado a esa situación?

Has dejado entrar al mundo, Bobby, dijo una voz que se parecía muchísimo a la de su madre. Has dejado entrar un mundo impregnado de pecado. Y bajo ese manto sólo hay oscuridad.

Pero... ¿madre?

Sí, Bobby.

Ya era hora. No puedo vivir sólo para el otro mundo. Ahora he de vivir en éste.

Eso dicen los caídos. Eso han dicho desde el inicio de los tiempos.

Llevaron a un demacrado Tim Brennan a la sala de visitas de la prisión de Concord y lo hicieron sentar frente a Torres.

—Señor Brennan, gracias por recibirme.

—El partido empezará pronto. No quiero perder mi silla —dijo Tim Brennan.

—No se preocupe; sólo será un momento. ¿Qué puede contarme de Richie Whelan? Lo que sea.

A Brennan le dio un súbito y violento ataque de tos. Sonaba como si se ahogase en flemas y cuchillas. Al fin consiguió controlarlo, pero después se pasó otro minuto agarrándose el pecho y resollando. Cuando volvió a mirar a Torres, lo hizo con los ojos de un hombre que ya ha atisbado el otro lado.

—A mis hijos les digo que tengo un virus en la tripa. Mi mujer y yo no sabemos cómo decirles que he pillado el sida aquí. De momento les contamos esa historia, hasta que estén preparados para saber la verdad. ¿Cuál de las dos versiones quiere?

—¿Perdón?

—¿Quiere el cuento de la noche en que murió Richie Whelan? ¿O quiere la verdad?

Torres notó un cosquilleo en el cuero cabelludo, como siempre que un caso estaba a punto de desvelarse, pero mantuvo una cara inexpresiva, de ojos amables y receptivos.

—La que toque hoy, Tim.

Eric Deeds entró en casa de Nadia forzando la cerradura con una tarjeta de crédito y uno de esos destornilladores diminutos que se usan para las patillas de las gafas. Le llevó catorce intentos, pero, como la calle estaba desierta, nadie lo vio subir al porche, para empezar. Todo el mundo había hecho sus compras —la cerveza y las patatas, las salsas de alcachofa, cebolla y tomate para untar, las alitas de pollo y las costillas, las palomitas— y ahora estaban refugiados a la espera del inicio de un partido para el que aún faltaban tres horas, pero ¿a quién coño le importaba el tiempo, si llevabas bebiendo desde el mediodía?

Una vez dentro, se detuvo y aguzó el oído mientras se guardaba el destornillador y la tarjeta, que había acabado bastante magullada en el proceso. Total, qué más daba, se la habían cancelado hacía varios meses.

Cruzó el recibidor y abrió las puertas de la sala de estar, el comedor, el baño y la cocina.

Después subió al dormitorio de Nadia.

Fue directamente al armario. Echó un vistazo a la ropa. Olfateó algunas prendas. Olían como ella, una tenue combinación de naranja, cereza y chocolate. Así olía Nadia.

Eric se sentó en la cama.

Eric se miró en el espejo y se peinó con los dedos.

Eric apartó la colcha de la cama. Se descalzó. Se acurrucó en la cama en posición fetal y se tapó con la colcha. Cerró los ojos. Sonrió. Notó que la sonrisa encontraba su sangre y recorría todo su cuerpo. Se sentía seguro. Como si hubiese vuelto al útero. Como si de nuevo pudiese respirar en el agua.

En cuanto se marchó el gilipollas de su primo, Marv puso manos a la obra en la mesa de la cocina. Extendió varias bolsas verdes de basura encima de la mesa y las pegó cuidadosamente con cinta aislante. Sacó una cerveza de la nevera y se bebió la mitad mientras contemplaba las bolsas. Como si no hubiese vuelta atrás.

No había vuelta atrás. Nunca la hubo.

Y era una putada, porque Marv comprendió, mientras estaba en esa cocina de mierda, cuánto la echaría de menos. Echaría de menos a su hermana, la casa, y hasta el bar y a su primo Bob.

Pero no quedaba más remedio. Vivir, a fin de cuentas, era arrepentirse. Y era más fácil digerir ciertos arrepentimientos si podías regodearte en ellos en una playa de Tailandia, por ejemplo, que si te asaltaban en un cementerio de Nueva Inglaterra.

Por Tailandia. Marv alzó la cerveza a la cocina vacía en un brindis y luego la apuró.

Eric se sentó en el sofá de la sala de estar. Se bebió una Coca-Cola que había encontrado en la nevera de Nadia —bueno, muy pronto sería la nevera de los dos— y se quedó mirando el desvaído papel pintado que seguramente ya estaba allí antes de que Nadia naciese. Sería lo primero que quitarían, aquel viejo papel pintado de los años setenta. Ya no estaban en los setenta, ni siquiera en el siglo XX. Era una nueva era.

Acabó la Coca-Cola, la llevó a la cocina y se preparó un sándwich con algo de embutido que había encontrado.

Oyó un ruido, miró hacia la puerta y allí estaba. Nadia. Mirándolo. Con curiosidad, claro, pero no asustada. Con simpatía en los ojos. Calidez.

—Oh, hola, ¿cómo estás? Ha pasado un tiempo. Ven, siéntate.

Nadia se quedó donde estaba.

—Oye, va, siéntate. Quiero contarte algunas cosas. Tengo planes. Sí, planes, ¿oyes? Toda una nueva vida nos espera a los... a los audaces.

Eric negó con la cabeza. Aquella presentación no lo convencía. Bajó la cabeza, volvió a mirar hacia la puerta. No había nadie. Se quedó mirando hasta que ella se materializó y ya no llevaba vaqueros y una camisa de cuadros descolorida, sino un vestido negro de topos diminutos y la piel... la piel le brillaba.

—Eh, hola. ¿Qué tal, chica? Entra, siént...

Se detuvo al oír la cerradura de la calle. La puerta se abrió. Se cerró. Alguien colgó el bolso de un gancho. Tiró las llaves sobre la mesa. Se quitó las botas con un golpe seco.

Eric corrigió su postura en la silla para aparentar comodidad y despreocupación. Se limpió las migas de las manos y se tocó el pelo para asegurarse de que estaba en su sitio.

Entró Nadia. La auténtica Nadia. Sudadera con capucha, camiseta y pantalón militar. Eric habría preferido un atuendo menos hombruno, pero ya lo hablaría con ella.

Nadia lo vio y abrió la boca.

—No grites —dijo él.

La cosa empezó a animarse cuatro horas antes del partido, lo que era perfecto, porque justo entonces llegaban los camareros de BarTemps. Se pusieron los delantales y empezaron a amontonar vasos mientras Bob se veía con su supervisor, un pelirrojo con una de esas caras redondas que nunca envejecían.

—Están contratados hasta medianoche —le dijo a Bob—. A partir de entonces, os tendremos que cobrar aparte. He traído dos ayudantes; se encargarán de cargar pesos, sacar la basura e ir por hielo. Si le pides a uno de los camareros que lo haga, comenzará a recitar el convenio de su sindicato como si fuese el Libro de Ezequiel.

Le tendió el sujetapapeles y Bob firmó.

Apenas acababa de instalarse detrás de la barra cuando apareció el primer correo. Dejó en la barra un periódico del que asomaba un sobre de papel marrón; Bob lo retiró enseguida y dejó caer el sobre por la ranura. Se dio la vuelta y el correo ya no estaba. Puro trabajo, nada de cachondeo. Una noche de ésas.

• • •

El primo Marv salió de su casa, se dirigió al coche y abrió el maletero. Forró el interior vacío con bolsas de basura unidas con cinta aislante y usó la misma cinta para sellar los extremos.

Entró de nuevo en casa y cogió una colcha del armario del recibidor. La extendió encima del plástico. Estudió su obra unos segundos. Luego cerró el maletero, puso la maleta detrás del asiento del conductor y cerró la puerta del coche.

Volvió a entrar para imprimir los billetes de avión.

Esta vez, cuando Torres detuvo su coche junto al de Romsey en Pen Park, ella estaba sola. Eso le hizo preguntarse si podrían pasarse al asiento de atrás, como se hacía antaño, fingir que estaban en el autocine que había antes allí, fingir que eran unos críos tontos con toda una vida —los dos— por delante, inmaculados y sin las cicatrices de las malas decisiones ni las muescas de los fracasos habituales, grandes y pequeños.

La semana anterior habían vuelto a caer. En parte por culpa del alcohol, desde luego. Después, ella había dicho:

—¿Esto es todo lo que soy?

—¿Para mí? No, chica, eres...

—Para mí. ¿Esto es todo lo que soy para mí?

Él no entendió a qué coño se refería, pero supo que no era nada bueno, de modo que no dio señales de vida hasta que Romsey lo llamó aquella misma mañana para decirle que moviera el culo y se presentara en Pen Park.

Se había preparado un discurso por si a ella después se le ponían esos ojos, esa mirada desesperada y de odio hacia sí misma con que contemplaba la madriguera que tenía en el centro de su ser.

—Cariño —le diría—, cada uno de nosotros es el verdadero yo del otro. Por eso no podemos dejarnos. Nos miramos y no juzgamos. No condenamos. Sólo aceptamos.

Había sonado mejor cuando se le ocurrió la otra noche en el bar, sentado solo, haciendo garabatos. Pero sabía que si la miraba a los ojos, si bebía de ellos, en ese momento creería lo que decía, cada palabra. Y la convencería.

Cuando abrió la puerta y se sentó en el asiento del copiloto, vio que Romsey iba muy elegante: vestido de seda verde oscuro, zapatos negros de salón, un abrigo negro que parecía de cachemira.

—Joder, estás guapa que te cagas.

Romsey puso cara de hartazgo. Sacó una carpeta de entre los asientos y se la arrojó a las rodillas.

—El historial psiquiátrico de Eric Deeds. Tienes tres minutos para leerlo y espero que esos dedos no estén sucios.

Torres levantó las manos y movió los dedos. Romsey sacó una polvera del bolso y comenzó a ponerse colorete, mirándose en el retrovisor.

—Será mejor que empieces a leer —le dijo a Torres.

Torres abrió el historial, vio el nombre del encabezamiento —DEEDS, ERIC— y lo hojeó.

Romsey sacó el pintalabios.

—No —dijo Torres, con los ojos en el historial—. Chica, tienes los labios más rojos que un atardecer jamaicano y más gruesos que una pitón birmana. No estropees algo perfecto.

Romsey lo miró. Parecía conmovida. Luego se pintó los labios igualmente. Torres suspiró.

—Es como usar pintura de paredes para un Ferrari. Oye, ¿con quién has quedado?

—Con un tipo.

—¿Un tipo?

—Un tipo especial —dijo ella, y algo en su tono de voz hizo que Torres la mirase.

Reparó, por primera vez, en que no sólo estaba guapísima, sino que además tenía pinta de sana. Como si estuviese iluminada por dentro. Su luz llenaba el coche de un modo tan completo que no entendió cómo se le había pasado por alto.

—¿Y dónde vas a verte con ese tipo tan especial?

Romsey señaló el historial.

—Lee. Se te acaba el tiempo.

Torres leyó.

—Lo digo en serio. Ese tipo especial. Él...

Se detuvo. Repasó la página con la lista de encarcelaciones e ingresos psiquiátricos de Deeds. Creyó haber leído mal una fecha. Pasó una página, luego otra. Después dijo:

—Que me jodan.

—Bastante te han jodido ya. —Romsey señaló el historial—. ¿Te sirve de algo?

—No lo sé. Pero responde a una pregunta importante, eso sí.

—Y eso es bueno, ¿verdad?

—Responde a una pregunta, sí, pero plantea muchas otras. —Torres cerró el historial, su sangre fría como el Atlántico—. Necesito un trago, te invito.

Romsey lo miró con incredulidad. Se señaló la ropa, el cabello, el maquillaje.

—Tengo otros planes, Evandro.

—Entonces, me guardo la invitación para otro día.

Y la inspectora Lisa Romsey negó con un gesto lento y triste.

—A ese tipo especial lo conozco de toda la vida. Somos amigos desde hace mucho tiempo. Se mudó hace años, pero mantuvimos el contacto. Su matrimonio tampoco funcionó y volvió aquí. Un día, hace un par de semanas, tomaba café con él y me di cuenta de que cuando me mira, me ve.

—Yo te veo.

Ella negó con la cabeza.

—Sólo ves la parte de mí que se parece a ti. Que no es la mejor, Evandro. Lo siento. Pero mi amigo... mi amigo me mira y ve lo mejor de mí. Y así, sin más... —Dio un beso al aire—. El amor.

Él se quedó mirándola. Ahí estaba, sin previo aviso. El final de lo suyo. Fuera lo que fuese eso suyo. Ya nunca más. Le devolvió el historial.

Torres salió del coche de Romsey y ella se largó sin darle tiempo siquiera a llegar al suyo.

15

HORA DE CERRAR

Los correos entraban y salían. Llegaban y se iban, toda la noche. Bob metió tanto dinero por la ranura que supo que seguiría oyendo aquel ruido en sueños durante días.

En la barra se acumularon tres hileras de clientes durante todo el partido; justo después de la media parte, Bob miró por un hueco inesperado entre la gente y vio a Eric Deeds sentado a la mesa coja que había bajo el espejo de cerveza Narragansett. Tenía un brazo extendido sobre la mesa y, al seguirlo con la mirada, Bob descubrió que estaba unido al brazo de alguien. Tuvo que desplazarse por la barra y atisbar entre un grupo de borrachos para ver mejor, y casi de inmediato deseó no haberlo hecho. Deseó no haber ido a trabajar. Deseó no haberse levantado de la cama desde el día de Navidad. Deseó atrasar el reloj de toda su vida hasta el día antes de pasar por aquella calle y encontrar a *Rocco* delante de su casa.

La casa de Nadia.

El brazo que tocaba Eric Deeds era de Nadia; de Nadia también la cara que miraba a Eric, impenetrable.

Bob echó unos cubitos en un vaso y sintió como si se le llenaran de hielo el pecho, el estómago y la base de la espalda. ¿Qué sabía de Nadia, a fin de cuentas? Sabía que había encontrado un perro agonizante en la basura de su casa. Sabía que había tenido una relación de algún tipo con Eric Deeds, y que éste sólo había aparecido en su vida después de que Bob conociera a Nadia. Sabía que el segundo nombre de Nadia bien podía ser Mentir por Omisión. Quizá esa cicatriz de la garganta no se la hubiese hecho ella misma, sino el último tío al que había timado.

Cuando tenía veintiocho años, Bob había entrado un domingo en el dormitorio de su madre, a despertarla para ir a misa. La zarandeó un poco y ella no le apartó la mano como hacía siempre. Así que le dio la vuelta y vio la cara contraída, los ojos apretados y la piel color gris piedra. En algún momento de la noche, después de la serie que solía ver y las noticias de las once, su madre se había acostado para despertar con el corazón apretado en el puño de Dios. Seguramente no le había quedado aire en los pulmones para gritar. Sola en la oscuridad, se había agarrado a las sábanas con los puños apretados, la cara y los ojos apretados, y la terrible convicción de que también a ella, en aquel preciso instante, le llegaba la hora final.

Aquella mañana junto a su madre, mientras imaginaba el último latido de su corazón, el último deseo solitario que su cerebro había logrado formular, Bob sintió un vacío que no esperaba volver a experimentar.

Hasta esa noche. Hasta aquel momento. Hasta que supiera qué significaba esa expresión en el rostro de Nadia.

Ya mediado el tercer cuarto del partido, Bob se acercó a un grupo de clientes que había al fondo de la barra. Uno de ellos le daba la espalda. Había algo tan familiar en su nuca que Bob estaba a punto de tocarla con el dedo cuando Rardy se volvió con una amplia sonrisa.

—¿Cómo van las cosas, Bob, muchacho?

—Nos... nos... nos tenías preocupados.

Rardy hizo una mueca cómica.

—¿Os... os... os tenía preocupados? Por cierto, tomaremos siete cervezas y siete chupitos de Cuervo.

—Creíamos que estabas muerto.

—¿Y por qué iba a estar muerto? No me apetecía trabajar en un sitio donde casi me matan. Dile a Marv que tendrá noticias de mi abogado.

Bob vio que Eric Deeds se abría paso hacia el otro extremo de la barra y eso le agitó algo por dentro, algo despiadado. Se dirigió a Rardy:

—A lo mejor le comento tus quejas a Chovka, las paso directamente arriba. ¿Qué? ¿Te parece buena idea?

Rardy rió con amargura, intentando mostrar desdén, pero sin conseguirlo ni de lejos. Negó con la cabeza varias veces como si Bob no entendiese algo, como si no entendiese nada.

—Sírvenos las cervezas y el tequila.

Bob se inclinó en la barra y se acercó mucho, lo bastante para oler el tequila en el aliento de Rardy.

—¿Quieres un trago? Pues llama a un camarero que no sepa que eres un comemierda.

Rardy parpadeó, sorprendido, pero Bob ya se alejaba.

Se cruzó con un par de camareros de BarTemps, se detuvo en el otro extremo y observó a Eric Deeds.

Al llegar a la barra, Eric dijo:

—Stoli con hielo, amigo mío. Blanco de la casa para la dama.

Bob preparó las copas.

—No te he visto esta mañana.

—¿No? Bueno...

—¿Ya no quieres el dinero?

—¿Lo has traído? —preguntó Eric.

—¿Traer qué?

—Sí. Eres de ésos.

—¿Ésos?

—De esos que llevan el dinero encima.

Bob le sirvió el vodka y una copa de chardonnay.

—¿Por qué ha venido ella?

—Es mi novia. Por siempre jamás y todo eso.

Bob le puso la copa de vino delante. Se inclinó sobre la barra y Eric se inclinó a su vez.

—Dame ese papel y te vas con el dinero —dijo Bob.

—¿Qué papel?

—El del microchip. Firmas eso y la licencia a mi nombre.

—¿Y por qué iba a hacer algo así?

—Porque te pago. ¿No es ése el trato?

—Es uno de los tratos posibles.

Sonó el teléfono de Eric. Lo miró, levantó un dedo para indicarle a Bob que esperase. Cogió las copas y volvió a mezclarse entre la multitud.

Habría que añadir a Peyton Manning a la lista de personas que habían dado por culo a Marv a lo largo de su vida. El muy hijoputa había salido con su brazo de mil millones de dólares y su contrato de mil millones de dólares y no había hecho más que cagarse por todo el campo ante la defensa de los Seahawks. Había dos tipos de rodeo en marcha: Seattle estaba domando a Denver y Denver a todo apostador del país que hubiese depositado su fe en ellos. Marv, uno de esos apostadores —¿qué sentido tenía seguir absteniéndose de las malas costumbres si estaba lo bastante loco como para robarle unos millones a la mafia chechena?—, iba a perder cincuenta de los grandes en aquel maldito partido. Aunque no pensaba quedarse para saldar la deuda. Y si eso cabreaba a Leo Coogan y sus muchachos de Upham Corner, pues bueno, que se pusieran a la cola. Que cogiesen un puto número.

Marv llamó a Deeds desde el teléfono de la cocina para ver cuándo pensaba ir al bar; le sorprendió y cabreó enterarse de que ya llevaba una hora allí.

—¿Qué coño haces en el bar? —preguntó Marv.

—¿Dónde voy a estar, si no?

—En casa. Para que nadie te vea hasta que... o sea, hasta que atraques el puto local.

—Nadie se fija nunca en mí, no te preocupes.

—Es que no lo entiendo.

—¿El qué?

—Era tan fácil... Te presentas a la hora convenida, haces lo que tienes que hacer y te largas. ¿Por qué ya nadie puede ceñirse a un plan, joder? ¿Tu generación, todos vosotros, os ponéis hasta el culo de déficit de atención antes de salir de casa por la mañana?

Marv fue a la nevera por otra cerveza.

—No te preocupes. Le tengo comido el coco.

—¿Qué coco?

—El de Bob.

—Si le hubieras comido el coco a ese tío, tendrías una indigestión. —Marv abrió la cerveza. Suavizó un poco la voz. Prefería que su socio pecara de sobrado, en vez de demostrarle que estaba cabreado con él—. Oye, ya sé la impresión que da Bob, pero te juro que no te engaño; no jodas a ese tío. Déjalo en paz y no llames la atención.

—Entonces, ¿qué se supone que debo hacer el par de horas que quedan?

—Estás en un bar. No bebas demasiado, joder, mantén la calma y nos vemos a las dos en el callejón. ¿Te parece un buen plan?

Oyó en el auricular la risa de Eric, tensa y afeminada a un tiempo, como si se riese de un chiste que nadie más podía oír y que nadie más habría entendido aunque lo oyese.

—Me parece que es uno de los planes posibles —dijo, y colgó.

Marv se quedó mirando el teléfono. Estos críos de ahora... Era como si el día que enseñaban responsabilidad personal toda esa puta generación hubiese faltado a clase con la excusa de que estaba enferma.

Cuando terminó el partido muchos clientes se fueron, pero los que quedaban hacían más ruido, estaban más borrachos y dejaban el lavabo mucho más sucio.

Pasado un rato también ellos empezaron a largarse. Rardy se desmayó en la mesa de billar y sus amigos se lo llevaron a rastras; uno de ellos miró a Bob, como disculpándose, durante todo el camino.

De vez en cuando, Bob observaba a Eric y Nadia, que seguían en la misma mesa, hablando. Con cada ojeada se sentía más pequeño. Si miraba unas cuantas veces más, se esfumaría.

Después de cuatro vodkas, Eric fue por fin al baño y Nadia se acercó a la barra.

—¿Sales con él? —le preguntó Bob.

—¡¿Qué?! —exclamó Nadia.

—¿Sí o no? Dímelo.

—Dios mío, ¿qué? No. No, no salgo con él. No, no, no, Bob. Llego a mi casa esta tarde y me lo encuentro esperando en la cocina con una pistola al cinto, como en *Silverado*. Y me dice que he de venir con él a verte.

Bob quería creerla. Tenía tantas ganas de creerla que se le podían llegar a romper los dientes; le saldrían disparados de la boca y se esparcirían por todo el bar. Por fin la miró bien a los ojos y vio algo que aún no podía identificar del todo, pero que no era euforia, ni orgullo, ni la sonrisa amarga del vencedor. Quizá algo peor que todo eso: desesperación.

—No puedo hacerlo solo —le dijo.

—¿Hacer qué?

—Es demasiado duro, ¿sabes? Llevo diez años cumpliendo esta... esta condena, cada puto día, porque pensaba que era una forma de compensar, para cuando cruzara al otro lado. Para así poder ver a mi madre y a mi viejo, esas cosas. Pero no creo que se me conceda el perdón. No creo que lo merezca. Pero, pero... ¿eso quiere decir que he de estar solo en el otro mundo y, encima, también en éste?

—Nadie tiene que estar solo. ¿Bob? —Nadia posó una mano en la suya. Sólo un segundo, pero fue suficiente. Fue suficiente—. Nadie.

Eric salió del baño y se acercó a la barra. Señaló la mesa con el pulgar y se dirigió a Nadia:

—Enróllate y tráete las copas de la mesa.

Bob se fue a cobrar a alguien.

A las dos menos cuarto los clientes se habían ido. Solamente quedaban Eric, Nadia y Millie, que a menos cinco en punto se iría renqueando de vuelta a su residencia de Edison Green. Pidió su cenicero, Bob se lo alargó y Millie fue dándole a la copa y al cigarrillo a partes iguales, la ceniza curvada como una garra en el extremo del pitillo.

Eric le dedicó a Bob una sonrisa de oreja a oreja y, en voz baja, soltó entre dientes:

—¿Cuándo se larga la viejecita?

—Dentro de unos minutos —dijo Bob—. ¿Por qué la has traído?

Eric miró a Nadia, que estaba encorvada en el taburete contiguo. Se inclinó en la barra.

—Para que sepas que voy muy en serio, Bob.

—Ya sé que vas muy en serio.

—Eso crees, pero no lo sabes. Si me la juegas... en lo que sea, no importa cuánto tarde, la violaré a lo grande. Y si se te ha ocurrido alguna idea del tipo que Eric no salga de aquí por su propio pie, si se te ha pasado una idea así por la mollera, mi socio en el asunto de Richie Whelan se encargará de vosotros dos, Bob.

Eric se acomodó en su taburete mientras Millie dejaba la misma propina que llevaba dejando desde los tiempos del Sputnik —veinticinco centavos— y bajaba del suyo. Habló con una voz ronca que tenía un diez por ciento de cuerdas vocales y un noventa por ciento de Virginia Slim Ultra Light largos.

—Bueno, me voy.

—Cuídate, Millie.

Millie se alejó diciendo sí, sí, sí y abrió la puerta.

Bob la cerró con llave y volvió detrás de la barra. Se puso a limpiarla. Cuando llegó a los codos de Eric, dijo:

—Disculpa.

—Da un rodeo.

Bob trazó un semicírculo con el trapo alrededor de los codos de Eric.

—¿Quién es tu socio? —preguntó Bob.

—No sería una gran amenaza si lo supieras, ¿verdad, Bob?

—Pero... ¿te ayudó a matar a Richie Whelan?

—Eso dice el rumor, Bob.

—Es más que un rumor.

Bob limpió la barra delante de Nadia y vio las marcas rojas que le había dejado Eric en las muñecas. Se preguntó si habría otras que no podía ver.

—Bueno, pues es más que un rumor, Bob. Ya ves.

—Ya veo, ¿qué?

—Ya ves. —Eric se impacientó—. ¿Qué hora es, Bob?

Bob metió la mano debajo de la barra. Sacó la bolsa con los diez mil dólares. Los desenvolvió, sacó el dinero y lo dejó en la barra, delante de Eric.

Eric bajó la vista.

—¿Qué es esto?

—Los diez mil que querías.

—¿A cambio de qué, me lo recuerdas?

—El perro.

—El perro. Sí, vale, vale. —Eric levantó la vista y susurró—: ¿Y cuánto por Nadia?

—Conque se trata de eso...

—Parece que sí —concedió Eric—. Dejaremos pasar unos minutos más y después, a las dos, echaremos un vistazo a esa caja fuerte.

Bob se volvió y eligió una botella de vodka polaco. De hecho, eligió el mejor, Orkisz. Se sirvió una copa. Se la bebió. Pensó en Marv y se sirvió otra, esta vez doble.

—¿Sabes que Marv tuvo problemas con la coca, hará unos diez años? —le preguntó a Eric.

—No lo sabía, Bob.

—No hace falta que repitas mi nombre todo el tiempo.

—Haré lo que pueda, Bob.

—Pues sí, a Marv le iba demasiado la coca y se enganchó.

—Casi son las dos, Bob.

—Entonces se dedicaba más a los préstamos. También manejaba material robado, pero sobre todo se dedicaba a los préstamos. Había un chico que le debía mucha pasta. Era un caso perdido con los galgos y el baloncesto. La clase de chico incapaz de devolver sus deudas.

—Son las dos menos tres minutos, Bob.

—Lo gracioso, ¿sabes?, lo gracioso es que el crío sacó el gordo en una tragaperras de Mohegan. Diecisiete mil. Que era un poco más de lo que le debía a Marv.

—Pero no saldó la deuda con Marv y os pusisteis duros con él y eso tendría que servirme de lección...

—No, no. Sí pagó. Hasta el último centavo. Lo que el chico no sabía era que Marv también había estado sisando pasta a los de arriba; por lo de la coca, ¿comprendes? De modo que el dinero de ese chico le cayó como maná del cielo, siempre que nadie supiera que venía del chico. ¿Me sigues?

—Joder, falta un minuto para las dos, Bob. —Sudor en el labio de Eric.

—¿Entiendes lo que digo? ¿Comprendes la historia?

Eric se volvió hacia la puerta para asegurarse de que estaba cerrada.

—Sí, claro. A ese crío... había que robarle.

—Había que matarlo.

Un rápido vistazo, de reojo.

—Vale, matarlo.

—Así, ni él ni nadie podría decir que le había pagado a Marv. Marv usa el dinero para tapar todos los agujeros, limpia su movida. Como si nunca hubiese pasado. Y eso es lo que hicimos.

—¿Tú hici...?

Eric apenas escuchaba, pero algo, una advertencia, empezaba a sonar en su interior mientras su cabeza iba de Bob al reloj.

—Lo maté en mi sótano —dijo Bob—. ¿Sabes cómo se llamaba?

—Ni idea, Bob.

—Sí que lo sabes.

—¿Jesús?

Eric sonrió. Bob no.

—Richie Whelan.

Bob sacó la nueve milímetros de debajo de la barra. No vio que el seguro estaba puesto, apretó el gatillo y no pasó nada. Eric sacudió la cabeza e intentó apartarse, pero Bob quitó el seguro y le disparó justo debajo del cuello. La detonación sonó como si alguien arrancara una plancha de aluminio de la fachada de una casa. Nadia gritó. No fue un grito largo, sino agudo, de sorpresa. Eric cayó estrepitosamente al suelo y cuando Bob salió de la barra ya estaba casi muerto, o muerto del todo. El ventilador del techo proyectaba finas láminas de sombra en su cara. Las mejillas se le hinchaban y deshinchaban, como si intentase jadear y besar a alguien al mismo tiempo.

—Lo siento, pero vosotros, los jóvenes, no tenéis modales, ¿sabes? Salís a la calle vestidos como si todavía estuvierais en el salón de casa. Decís cosas horribles de las mujeres. Lastimáis a perros inofensivos. Estoy harto de ti, tío.

Eric se quedó mirándolo. Hizo una mueca de dolor, como si tuviera acidez. Parecía cabreado. Frustrado. Se le quedó aquella expresión congelada, como si la tuviera cosida a la cara, y luego Eric abandonó su cuerpo. Se fue. O sea, mierda, se murió.

Bob lo arrastró hasta la cámara frigorífica.

Cuando volvió con la fregona y el cubo, Nadia seguía sentada en el taburete. Tenía la boca más abierta de lo habitual y no podía despegar los ojos de la sangre del suelo, pero, por lo demás, parecía muy normal.

—Habría seguido viniendo —dijo Bob—. Si alguien te quita algo y tú se lo permites... En vez de agradecértelo les parece que les debes algo más. —Mojó el mocho en el cubo, lo escurrió un poco y fregó la mancha de sangre principal—. No es lógico, ¿verdad? Pero es lo que les parece. Como si tuvieran derecho a ello. Y luego ya nunca puedes hacerles cambiar de idea.

Ella dijo:

—Él... Le has disparado, joder. Acabas de... O sea, ¿te das cuenta?

Bob pasó la fregona por la mancha.

—Le dio una paliza a mi perro.

16

ÚLTIMA RONDA

Marv estaba sentado en su coche calle arriba, aparcado bajo una farola rota, donde nadie iba a descubrirlo, y vio salir del bar a la chica, sola, y alejarse calle abajo en la otra dirección.

Aquello no tenía sentido, joder. Deeds ya debería estar fuera. Tendría que haber salido hacía diez minutos. Vio movimiento junto a la ventana donde estaba el rótulo luminoso de Pabst. La luz se apagó. Pero justo antes Marv había vislumbrado una coronilla.

Bob. Sólo Bob era lo bastante alto como para que su cabeza asomase por aquella ventana. Eric Deeds hubiera tenido que tomar carrerilla y dar un salto para llegar a la cadena de la luz. En cambio, Bob era grande. Grande, alto y mucho, mucho más listo de lo que parecía y, mierda, justo la clase de tipo capaz de meter su puta nariz justiciera donde no debía y joderlo todo.

¿Eso es lo que has hecho, Bob? ¿Joderme? ¿Fastidiarme el plan?

Marv miró la bolsa que tenía al lado, con los billetes de avión asomando del bolsillo delantero, como un dedo medio alzado en un gesto obsceno.

Decidió que lo más inteligente era acercarse en coche al callejón, colarse por atrás y ver qué pasaba. En realidad, ya sabía lo que pasaba: Eric no había conseguido cerrar el trato. En un momento de desesperación, Marv hasta lo había llamado al móvil, diez minutos antes, y Eric no había respondido.

Claro que no responde. Está muerto.

No está muerto, argumentó Marv. Ya hemos dejado esa época atrás.

Tú quizá sí. Pero Bob...

Mierda. Decidió acercarse a ver qué pasaba. Metió la marcha y estaba a punto de pisar el acelerador cuando el Suburban negro de Chovka pasó por delante, con la furgoneta blanca pegada al culo. Marv volvió a poner punto muerto y se deslizó asiento abajo. Oculto tras el salpicadero, vio que Chovka, Anwar y unos cuantos más salían de los vehículos. Todos, menos Chovka, llevaban bolsas de lona con ruedas. Pese a la distancia, Marv supo que estaban vacías, porque los chicos las llevaban en volandas de camino a la puerta. Anwar llamó y se quedaron ahí, esperando, el vaho blanco del aliento visible en sus bocas. Se abrió la puerta y dejaron pasar primero a Chovka para entrar luego tras él.

Joder, pensó Marv. Joder, joder, joder.

Miró los billetes de avión. No iba a servirle de mucho llegar a Bangkok al cabo de un par de días sin un centavo a su nombre. El plan consistía en largarse con suficiente dinero para costearse el soborno que le permitiera cruzar la frontera de Camboya y luego bajar al sur del país, hasta «Kampuchea», donde imaginaba que nadie lo buscaría. No sabía exactamente por qué daba por hecho que nadie lo buscaría allí; era como si, de ser él mismo quien buscara, Kampuchea fuese el último sitio donde esperaba encontrarse. Aunque, en realidad, el último sitio sería algo como Finlandia o Manchuria, un lugar frío de verdad, y quizá ésa hubiera sido la apuesta más segura, la jugada más inteligente, pero Marv había vivido tantos inviernos de Nueva Inglaterra que estaba convencido de tener el orificio derecho de la nariz y el huevo izquierdo congelados de por vida, así que ni de coña iba a largarse a un sitio donde hiciese frío.

Miró de nuevo hacia el bar. Si Eric estaba muerto —y a esas alturas, joder, parecía lo más probable—, entonces Bob acababa de ahorrarle a la organización Umarov, y de paso a todas las bandas de la ciudad, millones de dólares. Millones. Sería un puto héroe. A lo mejor le caía una buena propina. A Chovka siempre le había gustado Bob, porque Bob le lamía el culo. A lo mejor le daría hasta el cinco por ciento. Con eso bastaría para que Marv llegara a Camboya.

Vale, entonces, cambio de plan. Esperar a que los chechenos se largasen. Y luego hablar con Bob.

Ahora que ya tenía un plan, se incorporó un poco en el asiento. Aunque se le ocurrió que quizá debería haber aprendido tailandés. O al menos comprarse un libro sobre el tema.

Qué más daba. En el aeropuerto tendrían alguno.

Chovka comprobaba, sentado junto a la barra, las llamadas recientes del teléfono de Eric. Bob estaba al otro lado.

Volvió la pantalla para que Bob viese la última llamada perdida.

—¿Conoces este número?

Bob asintió.

Chovka suspiró.

—Yo también.

Anwar salió de la cámara frigorífica tirando de una bolsa de lona con ruedas.

—¿Ha cabido?

—Le hemos roto las piernas. Ha cabido bien.

Anwar dejó la bolsa que contenía a Eric delante de la puerta y esperó.

Chovka se guardó el teléfono de Eric en el bolsillo y sacó el suyo.

Los otros chechenos salieron de la parte de atrás. George dijo:

—Ya he metido el dinero en barriles, jefe. Dakka viene con el camión de la cerveza, dice que veinte minutos.

Chovka asintió. Estaba concentrado en su teléfono, tecleando como una quinceañera en el colegio a la hora del almuerzo. Cuando terminó, dejó el teléfono y se quedó mirando largo rato a Bob. De tener que calcularlo, Bob habría dicho que el silencio se prolongó unos tres minutos, puede que cuatro. Le parecieron dos días. No se movía ni un alma en aquel bar, ni se oía más que la respiración de los seis hombres. Chovka miró a Bob a los ojos y luego se adentró más allá, hasta el corazón y la sangre. Siguió esa sangre a través de los pulmones y el cerebro, se desplazó entre los pensamientos de Bob y luego por sus recuerdos, como quien pasea por las habitaciones de una casa tal vez ya declarada en ruinas.

Se metió una mano en el bolsillo. Dejó un sobre encima de la barra. Le hizo una seña a Bob.

Bob abrió el sobre. Dentro había entradas para los Celtics.

—No son de primera fila, pero son muy buenas. Son mis asientos.

El corazón de Bob volvió a latir. Los pulmones se le llenaron de oxígeno.

—Oh, vaya. Gracias.

—Te dejaré más la semana que viene. No voy a todos los partidos. Hay muchos, ¿sabes? No puedo ir a todos.

—Claro —dijo Bob.

Chovka leyó un mensaje en su teléfono y empezó a teclear la respuesta.

—Cuenta con una hora de margen para llegar al partido y luego una hora después, por el tráfico.

—El tráfico puede ser terrible —dijo Bob.

—Eso le digo a Anwar, él dice que no es terrible.

—No es como en Londres —intervino Anwar.

Chovka seguía tecleando.

—¿Hay algo que sea como en Londres? Dime si te gusta el partido, Bob. ¿Él ha entrado así, sin más? —Se guardó el teléfono en el bolsillo y miró a Bob.

Bob parpadeó.

—Sí, por la puerta de delante, cuando he abierto para que saliera Millie.

—Te ha puesto la pistola en la cara, pero tú le has dicho esta noche no, ¿eh?

—Yo no he dicho nada —dijo Bob.

Chovka simuló que apretaba el gatillo.

—Claro que has dicho algo. Has dicho pum.

Chovka volvió a meterse la mano en el bolsillo y sacó otro sobre. Al golpear la barra, la solapa que lo cerraba se levantó. Estaba repleto de dinero.

—Mi padre quiere que te dé esto. ¿La última vez que mi padre dio dinero a alguien? Uf. Ahora eres un miembro honorario de los Umarov, Bob.

A Bob sólo se le ocurrió contestar:

—Gracias.

Chovka le dio unas palmaditas en la cara.

—Pronto vendrá Dakka. Buenas noches.

—Buenas noches. Gracias. Buenas noches.

George abrió la puerta y Chovka salió encendiendo un cigarrillo. Anwar lo siguió, tirando de la bolsa que contenía a Eric; las ruedas botaron al cruzar el umbral y de nuevo al bajar a la acera helada.

• • •

¿Qué coño pasaba ahora? Marv vio que los chechenos salían del bar con una bolsa de lona tan pesada que tuvieron que levantarla entre dos tíos para meterla en la furgoneta. Creía que iban a usar más de una bolsa para guardar todo aquel dinero.

Bajó la ventanilla cuando se alejaron y tiró la colilla a la costra de nieve que había junto a la boca de riego. La colilla rodó pendiente abajo, luego cayó del bordillo y se apagó en un charco.

Otra cosa que tenía que hacer cuando llegase a Tailandia; dejar de fumar. Ya estaba bien. Iba a subir la ventana cuando vio a un tipo a un palmo de distancia, en la acera.

El mismo que unas semanas antes le había preguntado cómo llegar al hospital.

—Ah, mierda —murmuró Marv, mientras el tipo le disparaba en la nariz.

—Podéis ir en paz a servir al Señor.

El padre Regan hizo la señal de la cruz y eso fue todo: la última misa.

Todos se miraron; los pocos obstinados de siempre, los penitentes y feligreses de la misa de siete —Bob y Torres, la viuda Malone, Theresa Coe, el viejo Williams—, así como otros que llevaban bastante tiempo sin aparecer y que habían acudido como artistas invitados a la última función. Bob percibió la misma perplejidad en todas las caras: se habían enterado de lo que iba a pasar y sin embargo, en cierto modo, no se habían enterado.

El padre Regan dijo:

—Si alguien quiere adquirir uno de los bancos antes de que se los lleven para venderlos, que por favor llame a Bridie a la rectoría; seguirá abierta tres semanas más. Que Dios os bendiga a todos.

Nadie se movió durante un rato. Luego la viuda Malone salió al pasillo arrastrando los pies y Torres la siguió. Después salieron algunas de las estrellas invitadas. Los dos últimos fueron Bob y el viejo Williams. Bob se santiguó en la pila de agua bendita, por última vez entre aquellas paredes, y sorprendió al viejo Williams mirándolo. El anciano sonrió e inclinó varias veces la cabeza, pero no dijo nada, y salieron juntos.

Torres y Bob miraban la iglesia desde la acera.

—¿Cuándo guardó el árbol de Navidad? —preguntó Bob.

—El día después de Reyes. ¿Y tú?

—También.

Asintieron y volvieron a mirar la iglesia.

—Justo como me temía —dijo Torres.

—¿El qué?

—La han vendido a la promotora Milligan. Harán pisos, Bob. Detrás de esa hermosa ventana habrá seglares que tomarán sus putos Starbucks y hablarán de su fe en el profesor de pilates. —Le dedicó una sonrisa suave y triste, y se encogió de hombros. Poco después, añadió—: ¿Quieres a tu padre?

Bob lo miró un buen rato, para asegurarse de que iba en serio.

—Un montón.

—¿Estabais muy unidos?

—Sí.

—Yo igual. Ahora no es muy habitual. —Levantó la vista—. Era una iglesia preciosa. Siento lo del primo Marv.

—Un robo de coche que se torció, dicen.

Torres lo miró con cara de sorpresa.

—Fue una ejecución. A una manzana y media del bar.

Bob miró un rato calle arriba y no dijo nada.

—Eric Deeds —dijo Torres—. Te hablé de él una vez.

—Me acuerdo.

—Entonces no te acordabas.

—Me acuerdo de que me habló de él.

—Ah. Estaba en tu bar el domingo de la Super Bowl. ¿Lo viste?

—¿Sabe cuánta gente había ese domingo en el bar?

—Fue el último sitio donde lo vieron. ¿Después? Puf. Desapareció. Igual que Richie Whelan. Irónico, ya que se dice que Deeds mató a Whelan. Hay muertos y desaparecidos por todas partes, pero tú nunca ves nada.

—A lo mejor aparece.

—En tal caso, seguramente será en un psiquiátrico. Que es precisamente donde estaba la noche en que Whelan desapareció.

Bob lo miró. Torres asintió varias veces.

—De verdad. Su socio me dijo que Deeds se atribuía el mérito del asesinato de Whelan porque nadie más lo quería y eso le daba credenciales en la calle. Pero él no mató a Whelan.

—¿Alguien lo va a echar de menos, en cualquier caso?

Ese tío era increíble, pensó Torres. Sonrió.

—¿Si alguien qué?

—Lo va a echar de menos.

—No. Puede que a Whelan tampoco.

—Eso no es verdad. Yo conocía a Días de Gloria. No era un mal tipo. Para nada.

Estuvieron un rato sin hablar. Luego Torres se acercó y dijo:

—Nadie te ve venir, ¿verdad?

Bob mantuvo una cara tan transparente y clara como el lago Walden. Tendió una mano y Torres se la estrechó.

—Cuídese, inspector.

—Tú también.

Bob lo dejó ahí, mirando un edificio, incapaz de cambiar nada de lo que sucedía en el interior.

Nadia fue a verlo unos días después. Pasearon al perro. Cuando llegó la hora de volver, fueron a casa de ella, no a la de Bob.

—Necesito creer —dijo Nadia cuando estaban dentro— que hay un propósito. Aunque sea que me matarás en cuanto cierre los ojos...

—¿Yo? ¿Qué? Oh, no —dijo Bob.

—Mejor así, porque no puedo seguir con esto sola. Ni un día más.

—Yo tampoco —dijo él, con los ojos cerrados—. Yo tampoco.

Guardaron silencio un buen rato. Y luego:

—Tiene que dar otro paseo.

—¿Qué?

—*Rocco*. Lleva tiempo sin salir.

Bob abrió los ojos y miró el techo de la habitación de Nadia. Allí seguían las estrellas que había pegado de niña.

—Voy a buscar la correa.

En el parque, el sol de febrero se alzaba justo por encima de ellos. El hielo del río se había resquebrajado, pero todavía quedaban fragmentos pequeños agarrados a las orillas oscuras.

Bob no sabía qué creer. *Rocco* caminaba delante tirando un poco de la correa, muy orgulloso, muy satisfecho, muy distinto del tembloroso bulto peludo que Bob había sacado de un contenedor sólo dos meses atrás.

¡Dos meses! Vaya. Qué rápido podían cambiar las cosas. Una mañana te dabas media vuelta en la cama y tenías un mundo nuevo ante ti. Giraba hacia el sol, se desperezaba y bostezaba. Giraba hacia la noche. Al cabo de unas horas, giraba de nuevo hacia el sol. Un mundo nuevo, todos los días.

Al llegar al centro del parque, soltó a *Rocco* y cogió una pelota de tenis que llevaba en el bolsillo. *Rocco* levantó la cabeza. Resopló. Rascó la tierra. Bob lanzó la pelota y *Rocco* salió disparado tras ella. Bob imaginó que la pelota botaba mal e iba a parar a la carretera. El chirrido de los frenos, el golpe del metal contra el perro. O qué pasaría si *Rocco*, de pronto libre, echaba a correr sin parar.

Pero ¿qué iba a hacer?

No se podía controlar todo.